Le « décembre »
des intellectuels français

CHEZ LE MÊME ÉDITEUR

– Pierre Bourdieu, *Sur la télévision,*
suivi de *L'emprise du journalisme,* 1996

– ARESER (Association de réflexion sur les enseignements
supérieurs et la recherche), *Quelques diagnostics et remèdes
urgents pour une université en péril,* 1997

– Serge Halimi, *Les nouveaux chiens de garde,* 1997

– Pierre Bourdieu, *Contre-feux,* 1998

JULIEN DUVAL,
CHRISTOPHE GAUBERT,
FRÉDÉRIC LEBARON,
DOMINIQUE MARCHETTI,
FABIENNE PAVIS

Le « décembre » des intellectuels français

LIBER-RAISONS D'AGIR

Éditions LIBER-RAISONS D'AGIR
52, rue du Cardinal Lemoine, 75005 Paris
© *LIBER-RAISONS D'AGIR,* avril 1998

Pourquoi se replonger aujourd'hui dans l'histoire du mouvement social de novembre-décembre 1995 et, plus particulièrement, dans l'analyse des conditions et des modalités de l'action des intellectuels français à cette occasion ? Les médias nationaux ont eu le temps d'oublier les problèmes qu'il avait fait surgir. La gauche a tiré les bénéfices électoraux du discrédit du gouvernement Juppé, mais elle s'est empressée de refouler ce qu'elle devait à ces grèves et ces manifestations, les plus massives que la France ait connue depuis mai 68.

Plusieurs thèses s'affrontent à propos de la signification à donner de ces « événements ». Pour les uns, le mouvement de novembre-décembre était sans doute le dernier soubresaut d'un peuple qui manifestait ainsi son « irrationalité », en refusant des réformes à la fois « justes » et « modernes ». Renvoyant grévistes et manifestants « corporatistes » à un « conservatisme » hexagonal, « nationaliste » et « populiste », et opposant l'« archaïsme » à la « modernité », ou encore « Sartre » à « Aron », ils accusent certains intellectuels d'avoir profité de la conjoncture pour céder à leurs vieux démons et se montrer, une fois de plus, « irresponsables », « gauchistes » et « totalitaires ». Pour d'autres, décembre a constitué un mouvement exemplaire contre une « révolution néo-libérale » qui affecte l'ensemble des sociétés occidentales depuis les années 1970. Pour ceux-ci, le plan de réforme de la

Sécurité sociale constituait d'abord un plan d'ajustement supporté par les salariés. Il visait avant tout à rendre crédibles les autorités françaises sur les marchés financiers et non à accroître la « justice sociale ». Il s'inscrivait, comme le contrat de plan entre la SNCF et l'État, dans un mouvement qui voit ce dernier abandonner aux mécanismes du marché la sécurité des travailleurs, dont il était garant depuis la Libération. Dans ce contexte de restauration, l'action des intellectuels devrait selon eux consister à combattre les forces visant à la concentration du pouvoir dans les mains d'une poignée de technocrates nationaux ou internationaux, qui invoquent les investisseurs invisibles des marchés financiers et la « science économique » – aujourd'hui le *nec plus ultra* des instruments rationalisés de domination –, pour arrêter, sans autre considération, les décisions politiques.

Décembre 1995 a révélé la puissance dont disposent désormais certains intellectuels, unis dans des réseaux organisés autour de quelques instances spécifiques (en particulier, la Fondation Saint-Simon, *Le Débat, Esprit, Le Nouvel Observateur*) et liés par des liens organiques à des institutions universitaires ou syndicales (comme la CFDT) capables de leur assurer des postes, des crédits, des pouvoirs. « Responsables » au point de rappeler parfois à l'ordre les dirigeants politiques, ces « progressistes » d'un style nouveau revendiquent la transgression des tabous que constituent, selon eux, certaines des conquêtes sociales de l'après-guerre ou les valeurs que les combats intellectuels passés étaient parvenus à imposer[1].

A l'opposé, les intellectuels critiques les plus autonomes sont apparus comme démunis et désorganisés, bien que, pour les discréditer, leurs adversaires « libéraux » leur prêtent volontiers les intentions et les puissances menaçantes d'un nouveau stalinisme. Pour eux, la conjoncture fut aussi l'occasion d'une remobilisation autour d'une figure d'intellectuel progressiste qui, par un engagement collectif et international, s'affirme comme une force face à la « révolution conservatrice » des pouvoirs économiques, politiques et médiatiques. S'engageant en tant qu'artistes, savants, penseurs, qui ont accumulé dans leur champ propre ce qui fonde la légitimité de leur intervention, ils refusent, à la fois la perspective d'un monde livré aux seules puissances économiques et bureaucratiques, et les réactions nationalistes et intégristes provoquées par le déchaînement des prétendues « lois économiques ». Pour restituer son véritable sens à leur action, et, du même coup, leur rendre justice, contre la vision réductrice qu'en donnent non seulement leurs adversaires, mais aussi les journalistes qui, parfois sans le savoir, parfois sciemment (comme dans l'article du *Monde* du 12 avril 1996 intitulé « les nouveaux "compagnons de route" »), reprennent à leur compte la vision de l'*establishment* conservateur et de ses porte-parole dans le champ intellectuel, il faut essayer de décrire et d'analyser, comme on tentera de le faire ici, dans le mouvement même de sa naissance, et non *ex post* et en lui appliquant des catégories préconstruites, le processus de mobilisation d'un ensemble d'individus atomisés et dépourvus d'instruments de communication institutionnels, et la construction d'un groupe, à la fois précaire et nécessaire, représenté par une liste apparemment aléatoire et anecdotique de noms propres connus ou inconnus.

L'opération d'« anamnèse » qui consiste à faire resurgir ce moment déterminant de l'histoire intellectuelle est pour nous à l'opposé de l'évocation narcissique d'un moment privilégié. En décembre 1995, s'actualisent des clivages qui préexistaient et qui ont survécu. Plus qu'une date, c'est un révélateur de la structure, invisible et pourtant agissante, du monde intellectuel français : un ensemble d'institutions, de réseaux, d'individus depuis longtemps présents et actifs, apparaissent au grand jour. Deux décennies de conflits théoriques et politiques, d'entreprises individuelles et collectives, de rapprochements et d'éloignements se cristallisent. Soumettre à l'analyse le « décembre des intellectuels », c'est tenter de donner aux intellectuels, à travers une meilleure connaissance des lois de leur univers, une compréhension plus juste et plus réaliste de leur action, de ses déterminations véritables et des limites de son efficacité. C'est donc un encouragement à exercer de manière plus lucide, plus libre et plus résolue, leur vigilance critique.

1

La constitution d'un enjeu intellectuel

Les grèves de novembre-décembre ont suscité chez les intellectuels français une mobilisation, sinon plus intense, du moins plus générale que la guerre du Golfe ou le conflit dans l'ex-Yougoslavie, pour s'en tenir à deux événements qui, dans les années précédentes, ont pourtant été marqués par l'intervention de certains d'entre eux. La situation politique et sociale aurait pu rester un simple sujet de conversations privées ou de débats internes aux centres de recherche. Ce ne fut pourtant pas le cas et l'on vit en décembre s'exprimer publiquement des universitaires et chercheurs d'ordinaire moins sensibles aux sollicitations politiques. Un autre indice de l'importance de cette mobilisation est l'abondance des articles de presse consacrés, dans la deuxième quinzaine de décembre, au « retour des intellectuels » après « de longues années de silence ». A quelques jours du « sommet social » du 20 décembre, les intellectuels se sont suffisamment rendus visibles dans le champ politique pour que le premier ministre, qui donne alors à l'émission *Sept sur Sept* sur TF1 sa première interview depuis le début des grèves, soit confronté au point de vue de l'un d'entre eux, Alain Touraine.

Une telle mobilisation suppose des conditions particulières. Le problème soulevé ne suscite d'investissement de la part des intellectuels que parce qu'ils le perçoivent comme « important », voire comme « décisif », même s'il ne relève pas toujours directement de leur « compétence » au sens strict, comme le voudrait une conception technocratique et journalistique qui associe des « experts » à des « dossiers » prédéfinis. Là où la vision journalistique, cynique, ne perçoit que des interventions plus ou moins arbitraires émanant d'un monde divisé en clans irréconciliables, il faut apercevoir au contraire la logique spécifique qui conduit des universitaires, des artistes, des chercheurs et tout particulièrement des sociologues et des économistes, très présents dans les controverses du moment, à sortir de leur domaine propre pour prendre position sur le fond des débats en cours, sur la politique gouvernementale, sur la situation économique et sociale. La crise est un moment où sont mises en cause ou confortées de façon très concrète leurs prises de position antérieures, et aussi leurs analyses, leurs hypothèses, leur représentation du monde social. Les interlocuteurs les plus engagés décrivent leur participation aux actions collectives et aux controverses comme le résultat d'une forme de nécessité intérieure. Il faut les prendre au sérieux et se demander d'abord ce qui, dans la conjoncture politique et sociale, a pu favoriser l'expression d'une telle nécessité.

Plutôt que de « la crise » de novembre et décembre 1995, mieux vaut parler de plusieurs crises qui sont la retraduction à l'intérieur du monde intellectuel de différentes perturbations et sollicitations initialement extérieures à lui et qui se sont superposées et en partie synchronisées durant cette période : c'est sans doute dans cette conjonction qu'il faut voir la première cause d'une intensification et d'une dramatisation peu habituelles. Dès novembre 1995, plusieurs facteurs de perturbation affectent le monde intellectuel. Le premier, qui touche directement à la vie universitaire, est le développement d'une contestation étudiante (dès le début du mois de novembre dans certaines universités), qui va *crescendo* durant la deuxième quinzaine et atteint certaines franges du corps enseignant, notamment les vacataires, comme par exemple à l'Université d'Évry. Les étudiants, confrontés à des amphithéâtres surchargés et à des problèmes d'organisation, demandent la création de postes d'enseignants et de personnels administratifs. Les jeunes enseignants non-titulaires dénoncent la précarisation accrue de leurs conditions d'enseignement. Le mouvement contribue à réactiver des réseaux syndicaux et militants dans les lieux où se tiennent très régulièrement des assemblées générales, comme l'Université Paris VIII (Saint-Denis). Certains spécialistes de l'éducation (de l'enseignement supérieur en particulier) sont eux-mêmes présents dans le débat public à partir de la deuxième quinzaine de novembre. Ainsi, l'Association de réflexion sur l'enseignement supérieur et la recherche (ARESER) publie un appel dans *InfoMatin*, le 23 novembre pour soutenir les revendications des étudiants. Des spécialistes sont sollicités par *Libération* sur le thème du « malaise étudiant ». Le *Nouvel Observateur* consacre le 30 novembre un dossier au mouvement étudiant où figurent des interventions de tonalité contradictoire [2].

La deuxième crise est provoquée par le blocage généralisé des transports en commun, en particulier ferroviaires, lancé par les syndicats de la SNCF à la suite de l'annonce du contenu du futur contrat de plan État-SNCF et, plus encore, de la réforme des régimes de retraites. Ce mouvement déclenche une forte réaction médiatique qui suscite immédiatement l'apparition dans le discours télévisuel des « usagers » des transports collectifs. Il s'accompagne très vite d'un important encombrement de la circulation automobile et affecte ainsi directement les conditions d'existence ordinaires. La vie intellectuelle elle-même est perturbée par l'annulation des cours, les déplacements rendus plus difficiles. Ce contexte matériel crée des occasions de contacts inhabituels entre certains chercheurs et étudiants.

La troisième crise, plus décisive, naît de l'annonce du « plan Juppé », le 15 novembre 1995, et des conflits dont son interprétation politique et médiatique fait l'objet : le premier ministre expose alors devant l'Assemblée nationale le détail d'une réforme de la Sécurité sociale (création d'un impôt nouveau, renforcement du rôle du Parlement et réorganisation des caisses, universalisation de l'assurance-maladie, limitations des dépenses de santé, etc.). Les députés de la majorité lui font une ovation « debout » et votent la confiance au gouvernement. La stratégie de communication officielle fonctionne d'abord parfaitement. La plupart des commentateurs politiques développent plus ou moins spontanément plusieurs thèmes qui conditionnent la réussite de l'effet d'annonce : la « surprise » causée par les mesures, leur « ampleur », leur « cohérence », leur « rigueur » (par opposition au « laxisme » antérieur) en font un produit apparemment bien conçu. L'auteur du plan est crédité des caractéristiques personnelles associées à une telle initiative : fin stratège (il a su maintenir le secret), audacieux, déterminé, courageux et rigoureux. Ces thèmes réunissent, à diverses inflexions près, les principaux commentateurs (à la télévision comme dans la presse écrite).

Nicole Notat, secrétaire générale de la CFDT, donne même une légitimité publique au soutien « de gauche » en prenant parti avec force pour le plan Juppé (elle insiste sur son versant « assurance-maladie »). En s'attaquant à certains « bastions » médicaux, le premier ministre semble s'être allié avec cette fraction du monde syndical qui met en avant les éléments du plan qu'elle juge progressistes, comme le thème de la « couverture universelle », qui permettrait enfin l'accès des exclus aux soins. Le schéma macroéconomique qui sous-tend le plan est repris par les premiers conjoncturistes sollicités dans la presse : une forte réduction des « déficits sociaux », signe de la volonté de se conformer aux « critères de convergence » du Traité sur l'Union Européenne, doit favoriser l'affermissement du franc sur les marchés des changes et permettre à la Banque de France d'accélérer la détente monétaire, garante d'une relance ultérieure de l'activité – c'est la stratégie du « donnant-donnant » entre le gouvernement et l'autorité monétaire. Le mouvement des taux permis par le surcroît de crédibilité est censé compenser, dans un second temps, l'effet récessif initial.

Mais ce « cercle vertueux » se grippe dès la fin de la semaine avec le premier sondage d'opinion et le début d'une très forte mobilisation syndicale dans les transports : la réception est beaucoup moins favorable au plan que la célébration médiatique ne le laissait penser. Le principal argument développé par les responsables gouvernementaux (et ceux de la CFDT) face à cet « échec de communication » fait appel au thème de « l'exclusion », déjà utilisé lors de la campagne électorale : le plan est du côté des « exclus » et provoque la résistance de certains « privilégiés », qu'incarnent les syndicats défendant les personnels « à statut » (CGT et FO). La représentation des « exclus » est une fois de plus un enjeu politique. Les opposants au plan sont ainsi, eux aussi, conduits en réaction à mettre en avant leurs liens avec les organisations de « chômeurs et exclus » les plus radicales (Agir contre le chômage, AC!, Droit au logement, DAL, etc.). Plus largement, le discours sur l'« intérêt général », qui en appelle à des « sacrifices » de la part des salariés au nom de la solidarité avec les exclus, tend à faire du plan un enjeu national, en appelant à la responsabilité collective, au réalisme.

Plus qu'à un contexte général, il faut se référer à cette série de tensions simultanées pour comprendre la force particulière qui va pousser nombre d'intellectuels à l'action. L'intervention précoce de certains d'entre eux, portés par leur position à faire communiquer des espaces sociaux distincts, contribue à catalyser des forces depuis longtemps en présence, qui trouvent dans la conjoncture l'occasion de s'exprimer pleinement. Pour que cette conjoncture soit à l'origine d'une crise spécifique au champ intellectuel, il ne suffisait pas qu'elle exerce des effets de perturbation généralisés : revendications étudiantes, problèmes matériels de déplacements et grève massive, invocation médiatique répétée de l'« intérêt général ». La constitution d'un mouvement intellectuel suppose l'intervention d'individus particuliers, qui agissent comme relais entre les univers politique, syndical, médiatique et intellectuel. Les caractéristiques sociales de ces « passeurs » en font des agents prédisposés à exercer cette fonction : intellectuels d'organisation (partis, syndicats, clubs, revues intellectuelles), ils évoluent dans une temporalité plus proche de celle de l'actualité politico-médiatique, rythmée par des événements qui sont pour eux autant de sollicitations. Leurs discours publics sont liés au moins autant aux conjonctures politiques qu'aux controverses internes au monde intellectuel ou scientifique. Ils ont souvent des relations étroites avec les médias, des ressources sociales, informationnelles et politiques, qui leur permettent d'agir vite en direction de certains journalistes.

Joël Roman, qui rédige l'appel *Pour une réforme de fond de la Sécurité sociale* (cf. document page 18) émanant de la revue *Esprit* et de la Fondation Saint-Simon, raconte ainsi qu'il a écrit ce texte à la suite d'une réaction personnelle, un mouvement d'humeur politique renforcé par les déclarations de Jacques Delors. « En ce qui me concerne, il se trouve que j'étais très lié à un ami qui était, à l'époque, membre du cabinet de Claude Évin, (alors ministre de la Santé) quand il y a eu la réforme de la CSG [Contribution sociale généralisée] et qui avait été l'un des artisans de cette réforme-là. Il est mort depuis. Et il y avait, comme ça, une fidélité à son action. (…) Et puis, il y a eu un certain nombre de conversations. Il se trouve qu'à ce moment-là, Olivier Mongin fréquentait le petit groupe qui a donné naissance au bouquin de Rosanvallon, Fitoussi [*Le nouvel âge des inégalités*]… Il m'a raconté que ces gens-là en avaient parlé, et qu'ils étaient tout à fait d'accord, enfin qu'ils avaient tous envie de dire : "Bravo Nicole" (…) Et donc, j'ai rédigé le… [texte de l'appel]. Ce qui a été l'élément déclencheur, en ce qui me concerne, c'est effectivement la position de Delors. Parce qu'on s'attendait plutôt à ce que Delors prenne une position similaire, et, du coup, on s'est dit : bon ben, puisque personne d'autre ne le dit, il faut qu'on le dise. Et donc, j'ai rédigé coup sur coup à la fois la tribune que j'ai fait paraître dans *Libération* et le texte de l'appel ».

Joël Roman est corédacteur en chef d'*Esprit*. Agé de 40 ans en 1996, il est professeur agrégé de philosophie et a co-rédigé et co-édité plusieurs ouvrages. C'est également un militant politico-syndical. Il a été mis en disponibilité et travaille, à la Ligue de l'enseignement, sur « les liens à développer entre la CFDT, la Ligue de l'enseignement et la Fédération des centres sociaux ». Sa femme est assistante sociale. Membre du PSU jusqu'à la fin des années 1970, il a toujours appartenu à la CFDT durant son activité d'enseignant (entre 1974 et 1987-88) et, comme il l'indique lui-même, milite ou a milité « dans de multiples lieux, clubs, cercles, groupes, principalement autour de la *Charte de la citoyenneté*», cette dernière regroupant diverses associations issues ou proches de ce que certains nomment la « deuxième gauche », où il est plutôt perçu comme un « politique ». Son activité au sein de la revue *Esprit* se situe dans le prolongement de ce militantisme politico-associatif : elle fournit un relais à ses prises de position politiques au sein même du champ intellectuel.

Jacques Kergoat, qui est l'un des initiateurs de l'*Appel des intellectuels en soutien aux grévistes* (cf. document page ci-contre), possède d'autres caractéristiques de « multiposi-tionnalité ». Ingénieur d'études au Centre national de la

La pétition *Réforme*

POUR UNE REFORME DE FOND DE LA SECURITE SOCIALE

En prenant clairement parti en faveur d'un plan de réforme de la sécurité sociale, qui s'engage dans "la mise en place d'un régime universel d'assurance maladie financé par l'ensemble des revenus" comme l'a dit Nicole Notat, la CFDT a fait preuve de courage et d'indépendance d'esprit.

Chacun sait que la situation de la sécurité sociale ne pouvait plus s'accommoder de replâtrages qui se soldaient en définitive par une hausse des cotisations et une baisse des prestations. En s'engageant sur la voie d'une cotisation étendue à tous les revenus, pas seulement salariaux, le plan Juppé a pris acte de l'archaïsme d'un système qui pénalisait l'emploi et dont la philosophie était restrictive en termes d'accès aux soins. En proposant de développer la maîtrise médicalisée des dépenses de santé et d'aller vers un suivi individuel des patients, il engage une inflexion de la politique de santé vers une action davantage préventive. Enfin, en proposant de modifier la gestion des systèmes de santé par le vote du budget de la sécurité sociale par le Parlement, il peut ouvrir la voie à un véritable débat sur les options de la politique sanitaire et sociale et sur les rôles respectifs du parlement et des partenaires sociaux. Sur ces trois points, la réforme est une réforme de fond qui va dans le sens de la justice sociale.

Bien entendu, le plan gouvernemental comporte des aspects contestables : ceux-ci concernent la politique familiale, l'avenir des systèmes de retraites et en filigrane la politique fiscale qui peuvent susciter de légitimes inquiétudes sur leurs principes et leur mise en œuvre. Ils mériteraient une démarche d'analyse et de concertation de même nature que celle du Livre blanc sur les retraites. Notre engagement en faveur des mesures de fond prises concernant l'assurance maladie vaut engagement de vigilance accrue sur ces autres points. Mais, vu les atermoiements de la gauche politique sur ces questions, nous, intellectuels, militants associatifs, responsables ou experts, nous entendons bien aussi prendre nos responsabilités et nous engager à défendre des options qui visent à sauvegarder un système qui garantisse à la fois la solidarité et la justice sociale.

LISTE DES PREMIERS SIGNATAIRES

Gilles ACHACHE, Claude ALPHANDERY, Elie ARIÉ, Guy AZNAR, Jacqueline AZNAR, Jean BEAUVILLE, Pascale BECK, Daniel BEHAR, Alain BLANC, Pierre BOURETZ, Dominique BOURG, Rony BRAUMAN, Guy BRIOUTÉ, Pascal BRUCKNER, Bernard BRUNHES, André BRUSTON, Henri BUSSERY, Jean-Yves CALVEZ, Bertrand CASSAIGNE, Roland CAYROL, Gilbert CETTE, Louis CHAUVEL, Jacques CHÉRÈQUE, Daniel COHEN, Henry COLOMBANI, Jeannette COLOMBEL, Guy COQ, Daniel CROQUETTE, Simone DARET, Daniel DEFERT, André DELVAUX, André DEMICHEL, Francine DEMICHEL, Michel DESSAIGNE, Jean-Philippe DOMECQ, Jacques DONZELOT, Brigitte DORMONT, François DUBET, Nicolas DUFOURCQ, ECHANGES ET PROJETS, Alain EHRENBERG, Corinne EHRENBERG, Bernard EME, Philippe ESSIG, Hughes FELTESSE, Alain FINKIELKRAUT, Jean-Paul FITOUSSI, Jean-Baptiste DE FOUCAULD, Patrick GAGNAIRE, Marc GAGNÈRE, Antoine GARAPON, Jean-Frans GATTÉGNO, Xavier GAULLIER, François GÈZE, Jacques LE GOFF, Yvon GRAÏC, Benoît GRANGER, Alfred GROSSER, Jeanyves GUÉRIN, Jean-Paul GUISLAIN, Hervé HAMON, Pierre HASSNER, Jean-Paul JEAN, Isabelle JÉGOUZO, Marie-Eve JOËL, Jacques JULLIARD, Sylvain KAHN, Pierre KAHN, Serge KARSENTY, Antoine KERHUEL, Jean DE KERVASDOUE, Jean-François LAÉ, Jean-Louis LAVILLE, Antoine LAZARUS, Marie-France LECUIR, Claude LEFORT, Jean LE OAC, Thierry LEHNEBACH, Antoine LEJAY, Jean-Claude LE MAIRE, Christian LE PAPE, Maximilienne LEVET, Jacques LÉVY, Yves LICHTENBERGER, Daniel LINDENBERG, Claude LLABRES, Michel LUCAS, Henri MADELIN, Philippe MADRIER, Marie MAES, Nicole MAESTRACCI, Michel MARIAN, Jean MARQUET, Frédéric MARTEL, Antoine MARTIN, Hélène MATHIEU, Maïté MATHEU, Christian MELLON, Pierre-Michel MENGER, Christine MEYER-MEURET, Martine MICHELLAND-BIDEGAIN, Denys MILET, Georges MINZIERE, Najat MIZOUNI, Thierry MONEL, Olivier MONGIN, Francis MONTES, Jacques MOREAU, Daniel MOTHE, Olivier NORA, Denis OLIVENNES, Erik ORSENNA, Maurice PAGAT, Serge PAUGAM, Luc PAREYDT, Marie-Claire PICARD, Bernard PERRET, Michelle PERROT, Guy PEYRONNET, Philippe PRIVITOT, Jean-Pierre PILLON, Françoise PIOYET, Jean-Claude POMPOUGNAC, René PUCHEU, Hughes PUEL, Yves RAYNOUARD, Gilles-Laurent RAYSSAC, Gilles RENAUDIN, Paul RICOEUR, Jacques RIGAUDIAT, Robert ROCHEFORT, Joël ROMAN, Pierre ROSANVALLON, Guy ROUSTANG, Denis SALAS, Gérard SARAZIN, Michel SCHNEIDER, Irabelle SEGUIN, André SENIK, Alfred SIMON, Martin SPITZ, François-Xavier STASSE, Henri-Jacques STIKER, Serge Ter CVANESSIAN, Irène THÉRY, Henri THÉRY, Marie-Olga THÉRY, Michel THÉRY, Paul THIBAUD, Véronique THIEBAUT, Alain THOMASSET, Guy TISSIER, Sylvie TOPALOFF, Armand TOUATI, Jean-Claude TOUBON, Alain TOURAINE, Henri VACQUIN, Louis-André VALLET, François VIDAL, Georges VIGARELLO, Jérôme VIGNON, Bertrand MELLON, Michel WIEVIORKA, Michel WINOCK, Jean-Pierre WORMS, André WORMSER, Gérard WORMSER.

Signature à adresser à Olivier Mongin ou Joël Roman
Esprit, 212, rue Saint Martin, 75003 Paris - Tél : 48.04.92.90 - Fax : 48.04.50.53

La pétition *Grève*

Appel des intellectuels en soutien aux grévistes

Face à l'offensive déclenchée par le gouvernement, nous estimons qu'il est de notre responsabilité d'affirmer publiquement notre pleine solidarité avec celles et ceux qui, depuis plusieurs semaines, sont entrés en lutte ou s'apprêtent à le faire. Nous nous reconnaissons pleinement dans ce mouvement qui n'a rien de la défense des intérêts particuliers et moins encore des privilèges mais qui est, en fait, une défense des acquis les plus universels de la République. En se battant pour leurs droits sociaux, les grévistes se battent pour l'égalité des droits de toutes et de tous : femmes et hommes, jeunes et vieux, chômeurs et salariés, travailleurs à statut, salariés du public et salariés du privé, immigrés et français. C'est le service public, garant d'une égalité et d'une solidarité aujourd'hui malmenées par la quête de la rentabilité à court terme, que les salariés défendent en posant le problème de la Sécurité sociale et des retraites. C'est l'école publique, ouverte à tous, à tous les niveaux et garante de solidarité et d'une réelle égalité des droits au savoir et à l'emploi que défendent les étudiants en réclamant des postes et des crédits. C'est l'égalité politique et sociale des femmes que défendent celles et ceux qui descendent dans la rue contre les atteintes aux droits des femmes. Tous posent la question de savoir dans quelle société nous voulons vivre. Tous posent également la question de l'Europe : doit-elle être l'Europe libérale que l'on nous impose ou l'Europe citoyenne, sociale et écologique que nous voulons. Le mouvement actuel n'est une crise que pour la politique gouvernementale. Pour la masse des citoyens, il ouvre la possibilité d'un départ vers plus de démocratie, plus d'égalité, plus de solidarité et vers une application effective du Préambule de la Constitution de 1946 repris par celle de 1958. Nous appelons tous nos concitoyens à s'associer à ce mouvement et à la réflexion radicale sur l'avenir de notre société qu'il engage ; nous les appelons à soutenir les grévistes matériellement et financièrement. 4/12/95

Au 9 décembre : A. Accardo, P. Alliès, J.-C. Amara, C. Amey, I. Amin, S. Amin, J.-L. Amselle, H. André-Bidot, T. Andréani, B. Appay, D. Ardisson, L. Arloff, L. Astre, C. Attias-Donfut, D. Aubert, L. Aubrac, R. Aubrac, Y. Augeat, P. Bachelet, P. Bagot, M. Bacot-Decriaud, M. Bacqué, E. Balibar, A. Barbara, D. Barbet, R. Barroux, M.-C. Baron, S. Baron, A.-M. Barrère, C. Barrère, C. Barrier-Lynn, J. Bart, M.-H. Barthe, F. Battagliola, P. Bausy, C. Baudelot, S. Beaud, N. Beaurin, P. Beckouche, M. Belissa, G. Benach, S. Benani, Y. Bénot, D. Bensaïd, D. Berger, M. Berot-Inard, A. Bertho, A. Bertrand, M.-J. Bezard, M. Bihan, J. Biard, J. Bidet, A. Bidet-Mordrel, M. Bigoteau, A. Blin, M. Bitard, P. Boccara, L. Boltanski, Y. Bosc, J.-C. Boual, S. Bourdon, P. Bouhnik, J. Bouguin, R. Bourderon, P. Bourdieu, S. Bourmeau, J. Boutet, J. Boutin, P. Bouvier, M. Bozon, P. Brétécher, T. Brisson, A. Brossat, D. Brousolle, P. Brigué, F. Brun, F. Brunel, I. Bucchion, C. Buchman, S. Buget, P. Burette, G. Burwod, M. Butel, D. Cabréra, M. Cacouault, M.A. Caloc, P. Cames, Y. Carel, J. Carficaburn, M. Cartier, G. Casanova, E. Cassin, D. Cardon, J.-C. Castella, R. Castro, B. Chabaud, P. Champagne, F. Chagnot, C. Chantepy, G. Chaouat, V. Charbonnier, B. Charlot, E. Charron, F. Chateauraynaud, M. Chatelier, J.-P. Chauveau, B. Chavaroche, A. Cheiban, Y. Chemi, E. Chemla, J.-C. Chevalier, G. Clancy, Y. Clot, P. Cohen-Seat, A. Collovald, A.-M. Colmou, S. Combe, D. Combes, J.C. Commensal, M. Commin, J.-C. Compan, A. Comte, S. Condon, P. Corcuff, M.C. Cormier-Salem, A. Couba, L. Coudard, B. Coulmont, P. Cours-Salies, G. Courty, I. Coutant, M. Cressent, D. Damamme, M. Darmon, M. Darriet, A. Davisse, F. Davisse, S. Davan, A. d'Autume, J.F. Debat, S. de Brunhoff, G. de La Pradelle, B. de l'Estrale, A. de Mengin, V. de Rudder, F. de Singly, D. Deanovic, J.L. Deatte, A.-M. Debatisse, D. Debatisse, J. Debouzy, M. Debouzy, R. Debray, J. Decaster, C. Decaster, J. Defrance, N. Dehan, C. Dejours, N. Delanoé, J.-C. Delaunay, J.-P. Deléage, M. Deleplace, F. Delasalle, P. Delasalle, E. Delmer, C. Delphy, J. Delter, J. Denot, N. Depraz, J. Derrida, M. Deschamps, R. Desné, A. Desnosière, A. Détraz, R.D. Puzza, D. Diatkine, N. Dodier, J.-P. Dollé, R. Dorandeu, F. Dosse, B. Dréano, F. Dreyfus, M. Dreyfus, C. Dubar, S. Duchesne, F. Ducouson-Linhart, I. Dufresne, F. Duroux, B. Dussart, N. Dussuleau, M. Eddy, N. Edelman, M. Ely, A. Ernaux, B. Escoubet, C.H. Eyssalet, N. Eyssalet, J.-B. Eyraud, R. Fabre, J.-P. Fall, J.-M. Faure, J. Favret-Saada, M. Ferrand, C. Ferté, G. Filoche, N. Finot, S. Fol, S. Fortino, F. Fortunet, A. Fouqué, D. Fougeyrollas-Sowebel, Ch. Fournier, B. François, N. Fratellini, Y. Frémion, M. Freyssenet, Ph. Fritsch, J.Y. Gacon, J. Gaillot, B. Gaïti, R. Galisson, M. Gollac, J.-P. Garnier, F. Garnier, B. Garnot, F. Gaspard, C. Gautier, A. Gauthier, F. Gauthier, D. Gaxie, L. Gentis, J.C. Gillet, J. Girault, D. Godineau, Y. Golay, E. Goldsmith, C. Grignon, A. Grimaldi, B. Gainot, A.-M. Garat, D. Guenoun, M. Guessaz, J. Guillaumou, H. Guillou, J. Habel, M.-C. Habib, Y. Hantala, P. Hassenteufel, J. Hienen, S. Herr, M. Hersent, B. Herveu, J.-Ph. Heurtin, E. Hiard, F. Hincker, M. Husson, F. Imbert, S. Israël, C. Ingersbohm, A. Jacquard, P. Jacquin, Ch. Jaladin, F. Jésus, A. Jollet, T. Jonquet, I. Joseph, J-P. Jouary, M. Joubert, J. Jourdheuil, A. Joxe, M. Jung, M. Kail, M. Kail, K.S. Karol, F. Keck, C. Kerber, D. Kergoat, J. Kergoat, K. Kergopoulos, S. Klingberg-Brossat, M. Koskas, C. Kouri, H. Kriwine, F. Laborne, E. Labrousse, B. Lacroix, P. Ladrière, C. Lafaye, F. Lafon, R. Lagache, J.-B. Lagrave, B. Lahire, M. Langlois, P. Lantz, N. Laperche, A. Laudier, M-C. Lavabre, A. Laville, G. Lazueckh, O. Le Cour Grandmaison, D. Leborgne, D. Lebret, M-H. Lechien, Ch. Lederman, J.A. Leger, P. Lenormand, G. Leider, G. Lemarchand, C. Lemeux, R. Lenoir, M. Lequenne, D. Le Queau, D. Leschi, C. Lestrat, J.-L. Le Toquelux, C. Levy, J.-P. Levy, D. Linhart, R. Linhart, M. Lowy, L. Lowy, G. Lorrand, J. Lojkine, F. Locoum, F. Lordon, J. Lyon-Caen, S. Magri, S. Mc Evoy, D. Maillard, H. Maler, M. Marin, C. Mariry, P. Marry, M. Marpsat, R. Martelli, J.-P. Martin, F. Matonti, O. Masclet, G. Massiah, G. Mauger, H. Maury, N. Mayer, F. Mazière, D. Memmi, B. Michaux, G. Michelat, J. Minces, J.-Y. Molier, G. Molina, J.-P. Molinari, A. Monnier, F. Morvan, D. Motchane, P. Mouraud, G. Moureau, J.C. Mouret, R. Mouraux, J.-L. Moynot, L. Mozère, N. Murard, A. Muxel, S. Nair, M. Naiman, D. Nicolaïdis, A. Nizard, M. Odeye-Sinz, D. Ougard, X. Papaïs, M.-Ch. Pascal, F. Payen, G. Pécout, W. Pelletier, C. Pennetier, J.-M. Pernot, G. Perrault, G. Perrier, V. Pérousapore, C. Peyrard, R. Pfefferkorn, M. Pialoux, J. Pierret, M. Pigenet, M. Pinçon, P. Pinell, J. Pinto, L. Pinto, F. Platone, F. Poirier, C. Poliak, L. Pouannet, E. Pretecelle, M. Pirum, B. Pudal, H. Puiseux, A. Querren, L. Quétier, Y. Quinou, P. Quinqueton, P. Rainer, M. Réboroux, J.C. Renoux, J.J. Reparret, J.-N. Retière, J. Rigaudiat, M. Riot-Sarcey, R. Robin, J.-Y. Rochex, C. Rogerat, P. Rolle, M.T. Roly, D. Rome, A. Roux, P. Rozenblatt, Ch. Ruby, Th. Ruf, A.G. Saïmot, Y. Salesse, Ch. Salmon, C. Samary, R. Samson, C. Sardais, M. Sarrier, F. Sawicki, R. Scarpanto, L. Schwartzenberg, B. Sebbel, M. Séum, D. Senotier, M.-J. Serravzin, L. Sève, R. Sibleyman, P. Silberstein, M. Simier, M. Sinean, J. Singer, Y. Sintomer, F. Sitel, D. Sivadon, R. Skoutelski, B. Slama, L. Sommer, J. Soncin, C. Spiga, A. Spire, Y. Struillou, F. Subileau, A. Suillerot, M. Surduts, P.-A. Taguieff, M. Tallard, L. Tanguy, P. Tancelin, L. Tarrin-Rami, S. Rami, J.-P. Terral, E. Terpay, J. Terenoire, A. Thébaud-Mony, N.-E. Thevenin, L. Thevenot, M.-N. Thibault, D. Thin, H. Thoroval, J.P. Thuillier, Ch. Topalov, A. Tosel, M. Toubiber, X. Toutain, J. Trillaud, J. Trat, E. Traverso, R. Trempé, M. Vakalousis, M.F. Valetas, A. Valtier, E. Varikas, J. Varin, M. Verret, P. Vidal-Naquet, K. Vie, C. Villeneuve-Gokalp, J.-M. Vincent, M. Vlady, S. Volkoff, M. Vovelle, M. Vuallat, S. Wahnich, E. Wallon, G. Wasserman, F. Weber, B. William-Sigg, F. Wolff, S. Wolikow, J.-C. Zancarini, M. Zancarini-Fournel, B. Zarca, C. Zaza, M-H. Zylberberg-Hocquard.

Adressez vos signatures et vos dons à Catherine LEVY : 4, rue Rambuteau, 75003 Paris, Fax : 43 49 50 49 - CCP 21305161 J recherche scientifique (CNRS), détaché à EDF, il n'est pas enseignant mais il est néanmoins lié à de nombreux universitaires. Sa femme, militante féministe, est sociologue. Directrice de recherche au CNRS, elle est membre du Groupe d'étude de la division sociale et sexuelle du travail (GEDISST). Il a publié plusieurs livres politico-historiques sur le Front populaire, le mouvement socialiste. Un temps spécialiste de l'histoire du Parti socialiste au journal *Le Monde*, il a écrit en 1995 un livre sur les années de pouvoir de François Mitterrand avec Patrick Jarreau, responsable de la « séquence France » au quotidien. Membre de la Ligue communiste révolutionnaire (LCR) depuis le début des années 1970 (mais, comme le dit une journaliste, « il n'aime pas que ça se sache »), il y anime une mouvance, active au sein de la Convention pour une alternative progressiste (CAP), qui a fait du rapprochement des organisations de la « gauche de la gauche » une stratégie de mobilisation indissociablement intellectuelle et politique (en particulier à travers *Politis-La Revue*, devenue récemment *Politique-La Revue*, et l'association de recherche et d'études sur le syndicalisme, RESSY). Comme Joël Roman, il peut mobiliser diverses formes de ressources intellectuelles à des fins qui sont d'abord, très directement, politico-organisationnelles. L'appel de soutien aux grévistes est l'occasion pour lui d'affermir sa position dans les luttes internes à sa propre organisation et aussi, plus largement, de mettre à l'épreuve la « ligne » politique qu'il incarne : le rapprochement de toutes les forces syndicales et politiques « critiques », qui vont de la FSU à certaines franges de la CGT, la minorité de la CFDT, les organisations de « chômeurs et exclus », les mouvements féministes, la LCR, les Verts, les « intellectuels critiques », etc. (l'une des fonctions de *Politique* est précisément de favoriser le développement de tous ces liens et des débats entre ces forces).

Autres « catalyseurs », les « intellectuels politico-médiatiques », directement connectés à une actualité qu'ils font profession de commenter très régulièrement (certains tiennent des chroniques régulières à la radio ou dans les journaux), font l'objet, dans la conjoncture de décembre, d'une demande émanant des journalistes, des hommes politiques de gauche ou de droite et des syndicalistes. Les appuis dits « indépendants » – certains d'entre eux sont d'anciens ou d'actuels dirigeants, permanents ou conseillers de la CFDT (Jacques Julliard, Pierre Rosanvallon, Alain Touraine…) [3], d'autres sont rémunérés par la confédération – sont un recours pour les dirigeants de la CFDT et ceux du PS qui ne peuvent s'exprimer publiquement. Comme l'indique Joël Roman, « on a voulu montrer que la CFDT n'était pas complètement isolée dans cette affaire, et qu'on était un certain nombre à penser comme ça ».

De leur côté, les intellectuels communistes (plus ou moins liés au Parti communiste français) sont directement sensibilisés à une conjoncture de « montée des luttes » : ils font partie de ces individus prédisposés à amplifier le phénomène de politisation du côté des soutiens à une grève pour une large part impulsée par la CGT. La crise universitaire leur fournit un premier terrain d'intervention, notamment à travers le SNESup. Ils sont en concurrence avec les militants du SGEN-CFDT, souvent contestataires de la ligne Notat, et des militants d'extrême-gauche (de la LCR en particulier), toujours très actifs dans les conjonctures de crise.

Pourtant, l'existence de ces relais n'est que l'une des conditions de la mobilisation des intellectuels. Nombre de leurs interventions sont moins l'aboutissement d'analyses des événements politiques que des réponses aux prises de position d'autres intellectuels. Une mobilisation de grande ampleur est le produit d'une logique propre, largement autonome : les arguments déployés se répondent, le crédit des intervenants est mis en cause et contribue à la construction des groupes, tout fait nouveau suscite des réinterprétations. Comment des événements qui, au départ, ne mobilisaient que les « passeurs » deviennent-ils un enjeu pour un grand nombre d'entre eux ? Comment la conjoncture leur permet-elle progressivement de s'imposer, à partir du 10 décembre environ, dans le champ politique et les médias, comme un groupe unanime à condamner la gestion de la crise par le gouvernement, mais scindé en deux « camps » au sujet du plan Juppé et des revendications des grévistes ? Le temps qui s'est écoulé entre le moment où la crise sociale est apparue au grand jour (les derniers jours de novembre), et celui où elle a émergé comme un facteur de clivage entre intellectuels (la deuxième semaine de décembre), montre ce que les plus militants d'entre eux savent d'expérience : l'action collective, dans cet univers, prend du temps. La genèse des pétitions lancées en novembre-décembre est à cet égard exemplaire. Une pétition suppose que ses initiateurs recueillent des signatures et surmontent une multitude d'obstacles : il faut arriver à joindre les signataires potentiels, il faut convaincre des chercheurs parfois réticents à l'expression publique, des personnalités peu portées à l'action collective. Il faut également retenir l'attention de la presse, seul moyen d'accéder à l'existence publique. Ce que l'on percevra, à la fin du mois, comme deux « clans » – vision que reproduiront nombre d'éditoriaux, de numéros spéciaux de revues, de livres sur le mouvement social et le rôle des intellectuels – est le produit d'une multitude d'interactions, apparemment accidentelles et aléatoires, entre des chercheurs, des militants, des syndicalistes, des journalistes. Lorsqu'on retrace quelques-uns des moments privilégiés du « décembre des intellectuels », l'action de ceux-ci peut apparaître comme l'enchaînement de petits événements parfois très contingents : agrégation de petits collectifs ignorant parfois tout les uns des autres, rencontres qui ne peuvent se produire qu'au gré de circonstances aussi exceptionnelles que celles de décembre, intérêt conjoncturel des journalistes pour « ce qui se passe chez les intellectuels »... Pourtant, en prenant en compte les éléments permettant de situer les acteurs dans le champ intellectuel, on comprend que chacun d'entre eux occupe une place particulière dans la division du travail d'expression collective. On comprend aussi que la forme que prennent les prises de position (signature de pétitions, interventions dans les médias à titre personnel ou comme représentant d'un groupe) et leur force, sont loin d'être entièrement livrées au hasard.

2

Les entrepreneurs de pétitions

A l'origine des deux principales listes de signataires qui s'imposent dans le champ politique en décembre 1995 – l'appel *Pour une réforme de fond de la sécurité sociale*[4] et l'*Appel des intellectuels en soutien aux grévistes*[5] –, on trouve des entrepreneurs de pétition clairement identifiables, dont le rôle prend néanmoins des formes différentes. Dans le cas de la pétition *Réforme*, Joël Roman et Olivier Mongin prennent l'initiative de rédiger et de faire circuler un texte soutenant les positions prises par Nicole Notat sur la réforme de l'assurance-maladie, tout en critiquant d'autres aspects du plan Juppé. Les deux hommes sont, par leur trajectoire, très fortement liés à la revue *Esprit*, dont ils sont alors les deux principaux animateurs. Joël Roman n'a exercé que quelques années dans le secondaire. Il a profité d'une mise en disponibilité pour travailler à *Esprit*. Sa formation philosophique et surtout son action politique et syndicale rendent ce collaborateur relativement récent un peu plus autonome par rapport à la revue que ne l'est Olivier Mongin qui lui est presque totalement identifié, comme l'indique de manière symbolique le fait qu'il en soit aujourd'hui le représentant juridique (au titre de « directeur de la publication »). Titulaire d'un DEA d'anthropologie et philosophie, ainsi que d'une maîtrise de lettres et une maîtrise d'histoire, Olivier Mongin a suivi en 1974-1975 le premier séminaire de Michel de Certeau, et a participé l'année suivante, à l'âge de 25 ans, à un groupe de réflexion sur l'anti-totalitarisme, à *Esprit*. Ensuite son parcours ressemble à celui que Paul Thibaud (entré en 1957 à la revue *Esprit*, devenu rapidement secrétaire de rédaction puis directeur de 1977 à 1988) a suivi avant lui : journaliste à *Esprit* à partir de 1978, il en devient secrétaire de rédaction puis rédacteur en chef et prend la direction de la revue à partir de 1988, tout en étant PDG des éditions *Esprit S.A.* Aujourd'hui, il est présenté tantôt comme « philosophe », tantôt comme « journaliste » : au-delà de ses fonctions à *Esprit*, il est aussi secrétaire général du syndicat de la presse périodique culturelle et scientifique (qui participe au financement des publications), après en avoir été le vice-président, ainsi que membre de la Fondation Saint-Simon et directeur de collections.

La place d'*Esprit* dans le monde intellectuel prédisposait ces deux hommes à se faire en décembre « entrepreneurs de liste ». Car l'action pétitionnaire de 1995 s'inscrit dans les activités menées au sein et autour d'*Esprit* : fondée en 1932 par Emmanuel Mounier, c'est une revue intellectuelle issue du « mouvement personnaliste » qui, loin de « l'art pour l'art », a toujours privilégié les grands thèmes d'actualité. Ces dernières années, elle a fortement investi l'actualité économique et sociale, comme explique Olivier Mongin : « Après toute une période où notre rôle a consisté à réévaluer le politique, qui a correspondu à la période durant laquelle Paul Thibaud était directeur de la revue – on continue, on fait encore un dossier sur le totalitarisme… –, il est vrai que nous avons été confrontés à un autre problème, qui était plus franco-français, voire européen, qui est effectivement celui à la fois du social et de l'économique (…). Ça a correspondu un peu à la chute du mur de Berlin. Il a bien fallu observer un certain nombre de phénomènes, je ne dirais pas la crise de la croissance mais la crise de l'emploi. Il a fallu sur le terrain qui n'est plus le terrain économique de l'emploi mais le terrain social de l'exclusion – terme qu'il faudra réévaluer – ... il a fallu prendre en compte effectivement les débats liés à la crise de l'emploi sur le terrain social ».

Abordant les questions économiques et sociales, *Esprit* s'est davantage trouvée en concurrence avec des revues telles que *Projet* (revue jésuite du Centre de recherche et d'action sociales) et, dans une moindre mesure, *Le Débat*. La pétition *Réforme* comportera d'ailleurs des signataires publiant dans ces revues qui se distinguent par la place relative qu'elles accordent aux différents « débats », et en particulier à « la question sociale », mais aussi par le capital intellectuel qu'elles détiennent. *Le Débat* en concentre incontestablement plus que la revue *Esprit* ou, *a fortiori*, *Projet*, *Études* ou *Économie et Humanisme* (revues intellectuelles jésuites et dominicaines) [6]. Les positions universitaires occupées par ses directeurs le montrent : Pierre Nora, par ailleurs éditeur, est directeur d'études à l'École des hautes études en sciences sociales, de même que Marcel Gauchet. Dans l'espace de ces revues, l'imposition des thèmes de débat peut devenir un enjeu. *Le Débat*, où plusieurs signataires « importants » de l'appel *Réforme* (comme Denis Olivennes ou François Stasse) ont publié, revendiquera, au printemps 1996, l'antériorité du débat sur les « problèmes de l'État-providence ».

On peut se faire une idée de la position d'*Esprit* dans l'espace de ces revues en se référant à des propos d'Olivier Mongin. Dans un entretien accordé au *Débat* en 1994, il explique ainsi : « La revue intellectuelle n'a pas pour fonction de faire un pont entre le monde des médias et celui de la recherche, mais d'animer à son propre niveau des débats qui n'émergent ni au niveau savant ni au niveau médiatique, voire de reprendre des débats avortés ou faussés à l'un ou l'autre de ces niveaux (...). Est-ce un hasard si une revue comme *Le Débat* a remué nombre de débats propres aux professions savantes, à commencer par celle des historiens ? Et si des revues plus aimantées par la question sociale comme *Esprit* ou *Projet* ont contribué à promouvoir les débats sur l'exclusion ou la crise de l'intégration par le travail ? ». Dans une interview qu'il nous a accordée, il explique au sujet de la protection sociale : « Je dirais un peu crânement, *Projet* reprenait pas mal de choses qui avaient été dites dans *Esprit*. Une fois de plus, ce n'est pas ma propriété privée mais si vous suivez la revue d'assez près, nous, je pense que là-dessus on est extrêmement pointus ».

L'activité des animateurs d'*Esprit* est avant tout un travail de commentaire, d'introduction et d'imposition sur la place publique de grands thèmes de société : le totalitarisme, la violence, la citoyenneté, l'école, l'islam, la ville, l'art contemporain, le travail… Cette réflexion sur le monde contemporain s'appuie sur l'œuvre de quelques auteurs, comme Paul Ricœur et, plus récemment, Marcel Gauchet (qui ont fait l'objet d'ouvrages publiés par la revue) mais aussi sur l'importation des thématiques de la philosophie politique (les écrits de John Rawls par exemple). Elle repose également sur le travail de quelques universitaires proches, pour la plupart membres du comité de rédaction (Pierre Bouretz, Jacques Donzelot…). Elle déborde largement le cadre de la revue et se poursuit dans des groupes de travail co-organisés par *Esprit*, des colloques, des débats, mais aussi des ouvrages. Les collaborateurs d'*Esprit* publient en effet régulièrement des essais, des introductions ou des synthèses commentées. Joël Roman, par exemple, est l'auteur d'une *Chronique des Idées contemporaines*, sous-titrée « *Itinéraire guidé à travers 300 textes choisis* ». Les responsables de la revue s'occupent également des éditions *Esprit* et de plusieurs collections. Olivier Mongin co-dirige ainsi « La couleur des idées » aux éditions du

Seuil et depuis peu « Questions de société » chez Hachette. La revue, les débats, les collections partagent une communauté de thèmes et constituent pour les collaborateurs d'*Esprit* autant de débouchés. Ce sont des instruments de promotion des « débats de société », relayés par d'autres réseaux (via l'EHESS, le *Nouvel Observateur*,…).

LE STYLE *ESPRIT*, L'ESSAI SUR DES « QUESTIONS DE SOCIÉTÉ »

Les auteurs de la revue *Esprit* ont fait leur spécialité d'un type de bien intellectuel très particulier, l'essai sur des « questions de société ». *La violence des images ou comment s'en débarrasser ?* (Éditions du Seuil, 1997) en fournit – sans doute parce qu'il est signé par l'actuel directeur de la revue, Olivier Mongin – une illustration exemplaire. Ce « genre » qui n'est (et ne prétend être) ni un travail scientifique, ni une enquête journalistique, ni un ouvrage érudit de philosophie ou de critique cinématographique, se rapproche de ces différents produits intellectuels sans jamais se confondre avec eux.

Olivier Mongin propose dans cet ouvrage une « réflexion » sur « la violence » dans les sociétés contemporaines qui s'inscrit dans une problématique typiquement politico-journalistique, en l'occurrence la question des éventuelles incitations à la violence qu'exerceraient sur le public adolescent certains films ou séries télévisées. Pour « faire la lumière », « lever le voile » sur cette « question de société », l'auteur propose sa propre interprétation, fondée sur des films récents, des travaux historiques ou sociologiques, des critiques cinématographiques, des essais signés de proches d'*Esprit*. Selon l'auteur, l'essai s'inscrit avant tout dans « un travail au long cours sur les "passions" démocratiques, la mauvaise part, la part maudite et cachée de nos sociétés ».

En autonomisant cette « question de société », il la dissocie du travail politique qui l'a constituée comme telle. Les données et analyses utilisées appartiennent à des univers de référence hétérogènes, et sont convoquées au gré de l'argumentation. Les concepts philosophiques, par exemple « *catharsis* » ou « l'état de nature », appartiennent à une culture scolaire et sont peu commentés, sinon dans des notes de bas de page très brèves. De même, les travaux de sciences humaines consacrés en particulier à la place de la violence dans la société, ou encore à la consommation de films, sont cités de manière très impressionniste, quand ils le sont. Ainsi Norbert Élias n'est évoqué qu'en quelques lignes, en conclusion, en guise d'hommage obligé. Les données statistiques et leur interprétation sont très vagues : on peut ainsi lire (p. 145) qu'on « observe une croissance quantitative des violences et des incivilités au milieu des années soixante-dix, un phénomène qui favorise la montée d'un sentiment d'insécurité à l'origine d'un imaginaire de la victimisation dont les images de violence se nourrissent ». Enfin, les films eux-mêmes, comme *Tueurs nés* ou *La Haine*, sont considérés comme de simples réceptacles de la violence des « sociétés démocratiques » et ne donnent lieu à aucune forme d'exégèse critique, même si l'auteur renvoie à plusieurs articles parus dans *Les Cahiers du Cinéma, Trafic* et *Positif* (les plus intellectuelles des revues de cinéma non-universitaires).

S'il est courant dans un essai d'user librement des travaux des autres et de ne pas expliciter ni mettre en question sa méthode, il est plus rare de ne pas recourir aux ressources, style brillant ou thèses provocatrices, qui permettent aux essayistes de se distinguer dans le champ intellectuel. L'auteur évite toute confrontation intellectuelle directe : aucun adversaire n'est visé nommément. De même, lors d'émissions sur *France-Culture* consacrées à *La violence des images*, confronté à des spécialistes du cinéma ou des sciences sociales, il s'efface devant la compétence de ses interlocuteurs, usant de formules telles que « vous êtes mieux au fait que moi », « je n'ai pas cette prétention ». C'est sans doute la foi dans son entreprise qui permet à Olivier Mongin d'écrire, de parler, de s'interroger, d'essai en essai (*La violence des images* est le sixième essai de l'auteur depuis 1991), sur « la crise du sujet », « l'individualisme dans nos sociétés démocratiques ». Prendre pour point de départ des « débats de société » condamne ainsi à un conservatisme intellectuel et politique qui prend la forme d'un questionnement sans fin. Ainsi, après avoir effleuré toutes sortes de « questions de société » (la violence dans les « banlieues », les guerres contemporaines, la production cinématographique), Olivier Mongin ne conclut pas son livre par des propositions ou des solutions aux problèmes soulevés, mais par une invitation à la réflexion sur « le sens de notre demande de violence », comme si toute l'entreprise avait permis de transformer des problèmes politiques en un simple problème de conscience (« la violence qui sourd dans nos têtes »).

Entrepreneurs de l'appel *Réforme*, les animateurs d'*Esprit* l'étaient en quelque sorte virtuellement par l'activité qui est la leur en temps ordinaire. Leurs responsabilités dans la revue, dans l'édition ou dans l'organisation de groupes de travail en font déjà des « intermédiaires » forts d'un carnet d'adresses diversifié. Parmi leurs relations figurent bien sûr tous les collaborateurs d'*Esprit* et les auteurs publiant dans les collections qu'ils dirigent, mais aussi les participants à des débats et des rencontres entre des milieux ordinairement séparés : associations, universités, organisations politiques. La posture que revendique Olivier Mongin dans *Face au Scepticisme*, celle d'« intellectuel médiateur critique », exprime bien cette « position médiane entre les savants et les médias », qui est aussi une position d'intermédiaire entre les intellectuels, les journalistes, les politiques, ceux qui participent à l'action réformatrice, les « associatifs », la Fondation Saint-Simon qui, entre les *think tanks* américains et les clubs de réflexion à la française, est elle-même conçue comme une interface entre universitaires et dirigeants éclairés. Les responsables d'*Esprit* ne s'intéresseraient peut-être pas tant à la notion de « société démocratique » si leur revue n'en était, en quelque sorte, une réalisation : c'est un lieu de « débats » où se retrouvent, par-delà les conflits d'intérêts parfois antagonistes, des citoyens qui « travaillent les uns avec les autres » à élaborer une « réflexion commune ». Si les responsables de la revue se défendent aujourd'hui d'être des « intellectuels catholiques », leur propension à l'œcuménisme, à se poser en médiateurs, évoque des dispositions formées dans le champ religieux.

Ils ne pouvaient, par conséquent, qu'éprouver durement les divisions de « la gauche » organisée autour du PS et de la CFDT, au moment de la réception du plan Juppé. Ils expliquent eux-mêmes le rôle que jouent dans leur initiative la contestation que Nicole Notat rencontre au sein de sa propre centrale, les « atermoiements » des différents responsables du PS devant la réforme, les coups de téléphone qu'ils reçoivent de « médecins de gauche, membres du PS, venant les voir en disant : "on est en train de louper le coche" ». Leur appel consiste à approuver le soutien critique que la secrétaire générale de la CFDT a apporté au plan Juppé en faisant valoir que la réforme de l'assurance-maladie, quoique conçue par un gouvernement de droite, est conforme à celle que préconise « la gauche » et qu'*Esprit* a contribué à élaborer et à diffuser depuis plusieurs années. Aux responsables ou à des personnalités proches du PS – Jacques Delors, en particulier – qui critiquent le plan Juppé, l'appel oppose des signataires qui se laissent guider, non pas par les considérations « démagogiques » du jeu politique, mais par la raison, par leur connaissance de la protection sociale (pour les experts) ou leur proximité au terrain (pour les dirigeants associatifs). Seuls ces « agents de liaison » que sont les responsables d'*Esprit* pouvaient réunir des signatures venues d'univers sociaux très différents, mais unanimes pour soutenir une réforme prévoyant l'institution d'un régime universel d'assurance-maladie conforme à la « réflexion » menée autour de la revue.

Le rôle joué par les entrepreneurs de la pétition *Grève* est différent. Évoquant l'histoire de l'appel et les conversations qu'ils ont eues dans les derniers jours de novembre, au hasard de leurs rencontres quotidiennes, certains signataires disent avoir éprouvé le « besoin de faire quelque chose », sans nécessairement être passés à l'acte. Gérard Mauger, (directeur de recherche au CNRS, directeur du CSU, et ancien militant du *Secours Rouge*) se rappelle avoir eu cette envie, mêlée d'un sentiment d'impuissance, dont il a trouvé l'écho quelques jours plus tard chez des personnes à qui il proposait de signer l'appel. « Je vais raconter mes états d'âme : un lundi matin (le 27 novembre), je suis dans mon bureau. J'ai deux soutenances de thèses dans les jours qui suivent et j'ai beaucoup de papiers à lire et puis... Je ne suis pas capable de travailler parce que quand même, il se passe des choses en France et je me dis que c'est désolant de ne rien faire. "Il faudrait faire quelque chose", me dis-je. Mais je sais pas quoi faire et je ne sais pas comment faire. (...) Beaucoup étaient dans une situation très comparable à la mienne. Ils étaient disponibles, ravis qu'on les appelle, qu'on leur propose de faire quelque chose qui ressemble à un début de quelque chose, mais ils étaient complètement atomisés et hors d'état de faire quoi que ce soit. (...) Bref, tu as de la bonne volonté comme ça, à vide, incapable de faire quoi que ce soit pour te rendre utile, tout simplement.

Ces coups de fil, ça traduisait la désorganisation, la perte de toute organisation syndicale, politique et même professionnelle [des chercheurs], vu que finalement les bases professionnnelles de la rencontre avaient disparu ».

Les initiateurs de la pétition *Grève* ont en commun un militantisme actif au sein d'organisations politiques et syndicales, le plus souvent d'extrême-gauche. Ils tiennent à apparaître comme un collectif – baptisé « groupe des onze » – représentatif dans sa composition. La logique de formation du groupe s'apparente à une logique de parti. A partir de deux initiatives qui fusionnent rapidement, c'est « spontanément » – du fait de leurs dispositions militantes – qu'ils organisent une réunion devant rassembler les « individus représentatifs de sensibilités politiques différentes de la gauche critique », afin de former un *« pool »* (*dixit* un membre du groupe). Deux représentants de la Gauche socialiste – courant du Parti socialiste composé essentiellement d'anciens trotskistes –, Gérard Filoche et Laurence Rossignol, qui disent avoir un texte en préparation, y sont également conviés (ou « s'y infiltrent », suivant les interprétations).

Ce « groupe des onze » est composé de militants et militantes (on y compte six femmes) dont certain(e)s sont responsables d'organisations politiques et syndicales et dont plusieurs sont, ou ont été membres de la LCR. Les plus jeunes ont une trentaine d'années, mais le groupe compte aussi des quinquagénaires. Quelques-uns enseignent la philosophie politique, la science politique ou l'histoire contemporaine à l'Université Paris VIII-Saint-Denis (comme Denis Berger, Henri Maler, Michèle Riot-Sarcey, Yves Sintomer). D'autres sont chercheurs au CNRS (comme Danielle Kergoat, Catherine Lévy et Sophie Wahnich), d'autres encore n'ont pas d'attache institutionnelle fixe (comme Yves Benot, chercheur indépendant et

Maya Surduts qui est traductrice et a animé la manifestation des femmes du 25 novembre). En dehors des revues militantes ou universitaires dans lesquelles ils s'expriment régulièrement (*Politis-La Revue, Collectif, Futur Antérieur*), la plupart ont publié des ouvrages d'histoire ou de philosophie politique, notamment sur la pensée de Marx, sur les mouvements ouvriers et sociaux du XIXe siècle, sur la place des femmes dans ces mouvements populaires, sur l'histoire coloniale, ou encore sur des phénomènes plus contemporains (les années de pouvoir de François Mitterrand, les infirmières et leur coordination, les thèses de François Furet sur le communisme). Une partie de ces livres ont été publiés dans des maisons d'éditions marquées à gauche ou à l'extrême-gauche (Maspéro, Le Sycomore, ou les Éditions de l'Atelier…). Si d'autres l'ont été chez des éditeurs devenus plus « académiques » (La Découverte), leur visibilité militante reste plus forte que leur visibilité scientifique. La collaboration régulière à *Politis-La Revue* résume sans doute le mieux une position de « porte-parole de la gauche critique » dans l'enseignement supérieur et la recherche en sciences humaines. En animant cette tribune publique, qui contraste avec le régime de semi-clandestinité de la LCR, ils promeuvent leurs idées dans un cercle plus large et obtiennent aussi de chercheurs plus reconnus des articles originaux ou l'autorisation de reproduire leurs textes.

Dans un compte rendu interne (cf. annexe page 37), un correspondant du Bureau politique de la LCR consacrera « le groupe des onze » comme le noyau des initiateurs de l'appel. Il faut cependant préciser que certains des membres du groupe disparaissent une fois terminée la phase initiale de la mobilisation (alors que des signataires, pourtant très actifs dans les phases ultérieures, ne sont pas officiellement considérés comme des membres

du groupe parce qu'ils sont absents de la réunion fonda-
trice du 26 novembre). Lors de cette réunion, les
membres du « groupe des onze » s'accordent, après,
semble-t-il, de longues négociations, sur un texte où,
invoquant « leur responsabilité », ils se disent solidaires
des grévistes. Le texte souligne « la convergence entre les
critiques portées par le mouvement social et les critiques
des vraies inégalités et des fausses valeurs-critiques qui
fondent nos activités, nos travaux, nos enseignements ». Il
légitime les « mouvements sociaux actuels », substituant à
l'interprétation qu'en donne « la propagande officielle »
une vision des événements qui place les grévistes et leurs
revendications du côté de « l'intérêt général », de « l'égalité des droits de toutes et tous » (et non des « privilèges
corporatistes »), des « besoins sociaux » (et non des
« seules lois du marché ») et finalement de « la Constitution ». Le texte affirme aussi « l'unité des mouvements
sociaux ». La « défense du service public », la question de
« savoir dans quelle société nous voulons vivre » et de
« l'Europe que nous voulons » réunissent ainsi « les salariés », « les étudiants » et « celles et ceux qui descendent
dans la rue contre les atteintes aux droits des femmes », le
texte réservant à chacun de ces mouvements un traitement égalitaire. Cette version de l'appel, qui use parfois
d'une rhétorique mobilisatrice (« nous appelons toutes
celles et ceux – *la très grande majorité*[7] qui se situent aux
côtés des grévistes »), porte la marque d'une pensée orga-
nisationnelle qui cherche à rassembler les différents mouvements sociaux autour d'un dénominateur commun
(« l'égalité de toutes et de tous », « les droits sociaux ») et
les « différentes sensibilités de la gauche critique » autour
de mots d'ordre comme « l'Europe citoyenne, sociale et
écologique », le rejet du RPR et de quelques dossiers politiques (selon un découpage qui distingue le service

public, la protection sociale et l'Europe, préfigurant celui qui aura cours un an plus tard aux « États Généraux du mouvement social »).

ANNEXE

Sur l'appel « des intellectuels ». Premier bilan. Christine, Nîmes.

Tout ce qui a été dit dans les médias sur la genèse de cet appel étant complètement faux, il importe d'abord de rétablir les faits.

Fin novembre, probablement en réaction à l'appel lancé par Esprit en défense de Nicole Notat et du plan Juppé, deux initiatives voient le jour envisageant un appel d'intellectuels en soutien aux grévistes. L'une est plutôt Paris VIII (Denis Berger, Henri Maler, Michèle Riot-Sarcey), l'autre CNRS (Yves Benot, Catherine Lévy). Les deux initiatives fusionnent.

Le vendredi 1er décembre, à la demande de Julien Dray, une rencontre a lieu entre Dray et des membres du BP de la Ligue (Olivier, Rouletabille, Vartang). Dray informe qu'il y a un appel Gauche socialiste en préparation. La délégation de la LCR souhaite qu'il n'y ait si possible qu'un seul appel, et met en contact Maler et la Gauche socialiste. Le Bureau politique précédant cette réunion a désigné Nimes pour suivre l'ensemble des appels en cours.

Le samedi 2, à L'Ageca, se retrouvent ainsi, dans un premier temps, Yves Benot (qui représente plus ou moins Samir Amin), Denis Berger, Danielle Kergoat, Jacques Kergoat, Catherine Lévy, Henri Maler, Michèle Riot-Sarcey, Yves Sintomer, Mayat Surduts, Sophie Wahnich. Si l'on y ajoute Maguy Beguet, qui travaille avec Sintomer et que l'on ne verra qu'une seule fois, ce sera là la liste bientôt officialisée des « onze initiateurs ». Dans un deuxième temps arrivent Gérard Filoche et Laurence Rossignol.

Filoche et Rossignol avaient amené un projet de texte qui était pour l'essentiel centré sur la défense de la Sécu telle qu'elle est, et destiné à être signé par des personnalités politiques. Ils avaient d'ailleurs déjà une brochette de personnalités socialistes qui l'avaient signé. Mais ils acceptent très vite de travailler sur la base du texte que nous avions commencé à rédiger dans la première partie de la matinée, et l'on arrive à un accord. Reste à savoir qui signe pour la Gauche socialiste. L'accord se fait sur le nom de Harlem Désir.

Fin de la réunion. A peine est-elle terminée que par couloirs, coups de téléphones et réseaux agités (ça se produira souvent), les décisions sont remises en cause. Levée de boucliers contre la signature d'Harlem Désir. Tout le monde cède, car au-delà des manœuvres, on a sous-estimé le discrédit du personnage Harlem Désir dans des milieux larges. Filoche et la GS cèdent aussi, ils acceptent le retrait d'Harlem Désir et laissent leurs signatures, dont celle de Filoche.

A ce stade, nous avons l'accord de Bourdieu sur l'initiative, mais pas sur le texte final. La collecte de signatures commence cependant tout de suite. Les premiers réseaux qui fonctionnent sont ceux de *Futur antérieur*, de *Politis La Revue*, de RESSY, de Paris VIII, du GEDISST pour ce qui concerne le CNRS, le réseau du Collège de France (Bourdieu), le réseau féministe et aussi le réseau « conseillers d'État et hauts fonctionnaires »).

C'est alors que nous arrive la réécriture faite par Bourdieu, le texte est plus court, mieux écrit, et ne présente pas de différences substantielles avec le projet initial. Compte tenu de la difficulté des communications avec Bourdieu (il est dans le Béarn, sans téléphone, auprès de sa mère mourante), la décision est prise de le reprendre tel quel.

Les autres réseaux ont fonctionné (Revue M., Merleau Ponty, le « réseau Catherine Lévy », Écologie politique… et nous en sommes à plus de 200 noms. Décision est prise d'annoncer l'appel dans *Le Monde* du 5 décembre. Kergoat propose un meeting dans une gare, après la manif du 12, avec Bourdieu, des dirigeants syndicalistes et des animateurs du pôle des exclus ». Berger propose de tenter de réunir, par le bouche à oreilles, une assemblée générale des signataires le samedi 9, rue du Dragon.

Au bureau politique du lundi 4, le point est fait sur l'appel. Un membre du BP émettre plusieurs critiques. Il estime que l'appel n'est signé que par d'illustres inconnus et qu'il faudrait faire un appel « de personnalités ». De même, il ne voit pas l'intérêt de la réunion de la rue du Dragon « il n'y aura pas cinquante personnes et ce seront les moins intéressants et les moins connus. Les autres ne viennent jamais ». Pas plus qu'il ne voit l'intérêt d'un meeting avec Bourdieu à la fin de la manif du 12 décembre : « C'est même contre-productif de faire parler Bourdieu devant cinquante personnes ».

L'annonce de l'appel dans *Le Monde* suscite quelques remous parmi les initiateurs. En effet, dans la mesure où *Le Monde* ne publie pas la liste des signatures, dix-sept noms, les plus connus, lui avaient été suggérés comme pouvant être cités à titre d'exemple, avec une attention portée aux diverses écoles et disciplines, à la féminisation, etc. Or *Le Monde* choisit d'autres noms. Du coup, problèmes. Problème sur le nom de Bensaïd (Manip de la Ligue!). Problème sur l'importance donnée à RESSY dans le commentaire (Manip de RESSY!). Problème sur le fait que la seule femme citée soit… Marina Vlady, dont Krivine avait communiqué le nom à la dernière minute. Tout cela passe très vite, en raison du succès immédiat de l'appel.

Le samedi, rue du Dragon, il y a plus de 300 personnes. Quelques inévitables débats avec les « guattaristes » (Anne Querrien). « Tout ça ne sert à rien, il faut se mettre en grève avec Willy Pelletier et les gens de *Critiques sociales* « Halte aux mandarins ». N'utilisons pas trop Bourdieu. Ne reproduisons pas les phénomènes de domination à l'œuvre dans l'Université ». Mais la réunion se passe bien, plutôt marquée par les interventions de Paul Boccara, d'Étienne Balibar, de Christine Delphy et de Jean-Louis Moynot, qui apporte le soutien de la CGT (« au nom de Lydia Brovelli et de Louis Vianet… »). Une majorité souhaite la publication de l'appel en pub dans *Le Monde*. Le meeting avec Bourdieu et les cheminots est approuvé. Reste le problème de l'élargissement du collectif des initiateurs, un peu difficile, entre ceux qui plaident pour qu'on discute avant de quelques critères. Seulement, il y a à la fin de la réunion 50 personnes qui sont volontaires et qui attendent. Au bout du compte se joindront aux initiateurs Gérard Mauger, Didier Leschi, Catherine Tricot (Futurs) et Françoise Laurent (proche de Futurs), Philippe Corcuff (Merleau Ponty).

Manif du 12 : le tract reproduisant l'appel est bien diffusé (une quarantaine de diffuseurs) et très bien accueilli. La présence dans la manif est comme prévu un peu riquiqui. Par contre le meeting de la gare de Lyon est un succès, environ un millier de personnes, sans doute deux mille vu les gens qui tournaient dans la gare cherchant le lieu, et un gros écho dans les médias du lendemain. (…)

Pendant ce temps, et dans les jours qui suivent, les signatures ne cessent d'affluer. Futurs a fait un gros travail, notamment en province. La Gauche socialiste a finalement lancé son appel, qui ne perce pas. Le PC a également lancé un autre appel (Mills), mais qui ne perce pas non plus. Nous en sommes maintenant à près de 2000 signataires. (…)

Source : Compte rendu au comité central de la LCR – « bilan du mouvement social ».

3

Compter les noms

Pour donner du poids à leur pétition, les entrepreneurs vont rechercher le prestige et l'autorité spécifiques qui leur manque. L'agrégation de noms autour d'un texte, que l'on peut considérer comme une forme d'accumulation de capital symbolique, combine deux logiques, celle du nombre et celle du nom. En un temps limité, il faut réunir le maximum de noms, étant entendu que tous les noms ne se valent pas, et afficher ainsi sa force, la force des noms rassemblés. Pour se faciliter la tâche, les initiateurs peuvent recourir à des réseaux pré-constitués ou déléguer une partie du travail de mobilisation à des personnes suffisamment mobilisées pour devenir à leur tour mobilisatrices.

Pour l'appel *Réforme*, la collecte de signatures s'est opérée de façon assez routinisée et professionnelle. Joël Roman et Olivier Mongin disposent de l'infrastructure de la revue *Esprit* et notamment de bureaux situés dans le 3e arrondissement de Paris. Ils peuvent déléguer au secrétariat de la revue la partie technique du travail de mobilisation et s'appuient sans doute sur les procédures utilisées en temps ordinaires pour l'organisation de colloques, la demande d'articles ou la gestion des groupes de travail. Par ailleurs, un premier appel publié le 1er décembre 1995 dans un article du quotidien catholique *La Croix* permet l'envoi direct de signatures à la revue.

Les réseaux mobilisés, liés à des revues, à des organisations politiques et syndicales, à des associations ou à des clubs, se recoupent souvent les uns les autres. Olivier Mongin et Joël Roman agissent moins en mobilisateurs qu'en porte-parole, voire en simples organisateurs car les (futurs) signataires sont, avant même de donner leur nom, gagnés à cette cause réformatrice. Il en est ainsi du réseau des responsables ou animateurs d'associations gestionnaires dans le domaine du social et de l'insertion, promoteurs de longue date d'une généralisation de l'assurance-maladie aux « exclus » et de la « maîtrise médicalisée des dépenses de santé ». La liste *Réforme* comporte un grand nombre d'associatifs ou d'agents qu'un interlocuteur décrit comme de « petits experts d'institutions » participant à « des commissions para-gouvernementales au niveau national ou au niveau local ».

Interviewé au printemps 1996, Joël Roman souligne l'importance de ces signatures : « Le texte n'était pas d'emblée un texte d'intellectuels. Quand on l'a lancé, c'était plutôt un texte politique. Et donc ce qui nous paraissait important, c'étaient des noms un peu significatifs de ce point de vue-là. Donc on a contacté par exemple toute une série de structures associatives, des gens comme Jean Bastide et Colombani de la Fédération des centres sociaux, des gens comme Hugues Feltesse de l'UNIOPSS, des gens comme Daniel Defert de AIDES, enfin ces noms-là nous paraissaient plus importants je dirais à la limite que des noms purement et simplement d'intellectuels ».

Certaines figures de l'administration du social, comme Michel Théry, ont également pu jouer un rôle majeur. On relève la présence de la revue *Partage* (« *Mensuel d'information sur le chômage et l'emploi* »), par l'intermédiaire de la signature de Maurice Pagat (directeur de publication-gérant, « fondateur du syndicat des chômeurs et des maisons de chômeurs »). Liée à un militantisme chrétien, cette publication fonctionne comme un lieu à la fois œcuménique et relativement fermé où se côtoient tous les protagonistes du débat sur la fin (et le partage) du travail. Elle reproduit, par delà les divergences d'analyse, les « bonnes feuilles » de leurs ouvrages et articles, aux côtés d'extraits de rapports officiels et de discours ministériels. Nombre de ces promoteurs du débat sur le travail étaient en quelque sorte pré-mobilisés, participant déjà aux « universités d'été » de la revue *Partage* (à Thiviers en Dordogne, dans un ancien couvent donné par une congrégation religieuse).

Les responsables d'*Esprit* contactent également des membres de la Fondation Saint-Simon. Leur initiative ne pouvait rester sans écho dans une organisation qui, depuis 1982, rassemble des intellectuels issus de différentes disciplines (économie, mais aussi sociologie, histoire, philosophie...) et des responsables économiques, politiques et administratifs, qui veulent aboutir à « une meilleure intelligence des sociétés contemporaines ». La réunion d'autorités aussi composites – intellectuels (passés par le PC et surtout la « nouvelle gauche »), experts ou PDG –, autorise l'émergence d'une pensée qui se veut enfin libérée de certains « tabous ». Les membres de la Fondation n'hésitent pas à remettre en cause les « archaïsmes », manières de pensée ou institutions, qui, selon eux, ont pu être utiles « en leur temps », mais qui exercent aujourd'hui, dans un contexte de « mondialisation de l'économie » et de « mutations sociales », des effets funestes. Les membres de la Fondation Saint-Simon peuvent ainsi reconnaître dans les dispositions du plan Juppé certaines des propositions qu'ils avaient formulées antérieurement. Le trésorier de la Fondation, Alain Minc[8], évoque « la révolution à accomplir dans les dix prochaines années » qui passe d'abord par une réforme du « domaine sous statut : État, système social », et il estime ainsi le 28 novembre dans *Le Figaro* qu'avec le

plan Juppé « d'une certaine manière, c'est le "la" de cette
révolution qui vient d'être donné ». Le plan prend acte
des exigences de « la mondialisation de l'économie », ce
phénomène inéluctable que « la France » ne peut ni ne
doit ignorer. Il met en œuvre des mesures de maîtrise des
dépenses de santé et opère une certaine rupture avec la
gestion paritaire et la « philosophie » du système de protection sociale qui prévalaient jusqu'alors en France. Il
reçoit l'aval des spécialistes de la protection sociale que
compte la Fondation. Du côté technocratique, la réforme
est approuvée par Jean-Baptiste de Foucauld (énarque,
ancien commissaire au Plan et membre du conseil
d'administration d'EDF) qui, s'il conteste la gestion gouvernementale de la crise (en conseillant au premier
ministre, comme d'une certaine manière aux grévistes, de
prendre modèle sur l'Allemagne), approuve largement la
réforme : « les travaux que j'ai menés sur ce sujet montrent clairement que l'absence de maîtrise des dépenses de
santé menace le système à terme, et empêche la redistri-
bution des charges sociales en faveur de l'emploi » (*Le
Nouvel Observateur*, 7 décembre 1995). Du côté intellectuel, Pierre Rosanvallon, secrétaire de la Fondation Saint-
Simon, auteur de la *Nouvelle Question sociale*, approuve
la rupture avec la « philosophie assurancialiste classique »
du système français (le développement de « l'exclusion »
interdit de considérer, comme on pouvait le faire dans les
années quarante ou cinquante, que « les risques sont également répartis et de nature largement aléatoire » – *Sud-
Ouest*, 11 décembre 1995). De façon plus générale le
plan du gouvernement, en instaurant un nouveau partage
des responsabilités au sein du système, comme en pro-
mettant une couverture sociale pour les « exclus » de la
santé, s'accorde avec quelques-uns des « grands diagnostics » caractéristiques de la représentation du monde

social qui a cours à la Fondation Saint-Simon. Justifiant dans la presse le projet gouvernemental, des membres de ce *think tank* à la française invoquent ainsi la réorganisation de « la société française » autour d'une grande classe moyenne – dont se dégagent un petit nombre de « nantis » et d'« exclus » –, et l'affaiblissement des « acteurs sociaux » traditionnels qui, prisonniers de catégories dépassées, constitueraient avant tout un frein à la nécessaire adaptation de la France à un nouveau contexte. On comprend qu'en soutenant le plan Juppé, Nicole Notat puisse apparaître aux membres de la Fondation comme une sorte d'incarnation du « syndicalisme de société » dont ils déplorent régulièrement la faiblesse en France, un acteur syndical qui, plutôt que de mener une lutte « dépassée », s'engage en faveur d'une réforme « profonde ». La signature de la pétition lancée par les responsables d'*Esprit* qui conduit ces intellectuels de gauche, proches pour la plupart d'entre eux du PS et de la CFDT, à soutenir un gouvernement de droite, ne constitue pas un obstacle. La transgression des « tabous » de gauche est en effet, on l'aura compris, consubstantielle à cette institution. Les clivages politiques pèsent peu au regard des « réformes » que la Fondation préconise. Ainsi, justifiant sa signature, Jacques Julliard explique sur France 2 le dimanche 3 décembre (à l'émission *Le jour du Seigneur*), que « si les réformes sont nécessaires, je les approuve, qu'elles soient faites par un gouvernement de droite ou de gauche ». Pierre Rosanvallon, pour sa part, se désolidarise dans *L'Express* du 7 décembre 1995 d'une opposition qui s'en tient à une « critique générale et systématique des actes de gestion ».

D'autres réseaux peuvent être identifiés *a posteriori*, comme le club « Échanges et Projets » qui fournit une signature collective. Créé en 1974 par Jacques Delors, présidé par Jean-Baptiste de Foucauld, ce club regroupe des patrons, des hauts fonctionnaires et des syndicalistes s'inspirant souvent du catholicisme social. On reconnaît aussi les réseaux liés aux revues jésuites *Projet* et, dans une moindre mesure, *Études*. Enfin, il y a aussi les gens pour qui « ça allait un peu de soi », pour reprendre les mots d'Olivier Mongin, c'est-à-dire une partie de l'équipe d'*Esprit*.

Au total, 166 noms sont réunis en une dizaine de jours. C'est cette liste qui est publiée dans *Le Monde* daté du samedi 3-dimanche 4 décembre 1995. A partir de cette date, les organisateurs cessent de rechercher de nouveaux noms, à l'exception de deux ou trois personnes qu'ils n'ont pas réussi à joindre dans les temps mais dont la signature leur tient à cœur. De nombreux signataires, en revanche, envoient spontanément leur nom à la revue. *Esprit* publiera ainsi, dans son numéro de janvier-février 1996, une nouvelle version de la pétition. La liste des noms et des professions exercées fait l'objet d'un encart de plusieurs pages.

Les revues intellectuelles, telles *Esprit*, *Le Débat* ne sont certes pas le seul lieu de production de la vision dominante (il faut faire une place particulière à la Fondation Saint-Simon et aux commissions du commissariat au Plan), ni de sa diffusion (il faut y intégrer le fonctionnement de l'ensemble du champ médiatique). Mais *Le Débat* (dont Pierre Rosanvallon expliquait, dans *Les Échos* du 4-5 avril 1997), qu'avec *Commentaire*[9] et *Esprit*, elle s'arrachait la primeur des notes de la Fondation Saint-Simon) est un lieu central de production, de mise en forme et de diffusion de la doxa néo-conservatrice au sein même du champ intellectuel, concernant par exemple « l'État-providence », mais aussi la redéfinition de la figure de l'intellectuel. Créée en 1980 par Pierre Nora (avec l'appui des éditions Gallimard dont il est l'un des directeurs littéraires depuis 1976 après y avoir créé la « Bibliothèque des histoires »), encore « jeune » enseignant à l'EHESS (il y est élu en 1976), cette publication se définit tout d'abord par rapport aux revues intellectuelles existantes : *Commentaire*, *Esprit* et surtout *Les Temps Modernes*. Mais par la position de son directeur dans l'univers académique, elle tend aussi à se définir par rapport aux revues dominantes dans l'univers scientifique en sciences humaines (*Les Annales* et *Actes de la Recherche en Sciences Sociales*). Se présentant comme une revue de « nouvelle génération », elle intègre les contraintes de la concurrence des hebdomadaires concernant la publication d'articles sur l'actualité culturelle, artistique, intellectuelle, politique, et participe à la définition de cette actualité, à l'instauration du « débat ». Elle entend dans le même mouvement révolutionner les « sciences humaines » et accumuler les profits associés à l'adoption d'une posture « savante » et à la publication des « grands noms » en la matière (très rares sont les intellectuels « reconnus » qui n'ont pas signé au moins un article, ou donné un entretien au *Débat*). Elle prend ainsi acte de ce qu'elle perçoit et désigne comme « une certaine déconfiture idéologique de la gauche », pour « tenter, à la fois, de la réarmer et aussi pour pratiquer (…) une sorte d'agitation intellectuelle mais profondément différente de celle que *Les Temps Modernes* avaient voulu instaurer » (comme son directeur pourra le dire en 1997 sur France-Culture). Mais, dans le même mouvement, elle s'applique à détruire une à une les figures de l'intellectuel et de l'engagement (successivement représentées par Jean-Paul Sartre et Michel Foucault et aujourd'hui par Pierre Bourdieu). Pierre Nora explique ainsi qu'il « avait fait du non-engagement un drapeau », ou, plutôt, de sa revue une revue engagée, mais « autrement », « une revue politique au second degré », aidé en cela par une sorte de division du travail entre le directeur de la publication, Pierre Nora, et le rédacteur en chef, Marcel Gauchet, coopté par le précédent et devenu directeur d'études à l'EHESS en 1989, qui s'est fait une spécialité dans l'anti-intellectualisme d'intellectuel.

La rhétorique du *Débat*

On trouve une forme exemplaire de ce discours dans l'éditorial (« L'État-providence dans la tourmente ») et la présentation du dossier (« Arguments pour une réforme. Une crise salutaire ? ») qui, publiés au printemps 1996 (*Le Débat* n° 89, mars-avril 1996, p. 3-5), constituent en quelque sorte la prise de position « officielle » de la revue (dont les dirigeants étaient peu intervenus directement en décembre, comme Marcel Gauchet dans *Le Figaro* le 20 décembre), revendiquant du même coup une position en surplomb par rapport à cette revue « respectable » qu'est *Esprit*. (Pour un autre exemple de l'opposition entre « compréhension rationnelle du monde », « rationalité économique » dont sont porteurs les dirigeants politiques et économiques et « archaïsme des revendications », « désir » des masses, cf. les propos de Paul Ricœur dans le *Journal du Dimanche*, le 10.12.1995.)

Au premier abord, ce qui caractérise ce discours, c'est la prudence des formulations, le ton policé, en un mot, la mesure du propos : « *Probablement* les grèves de novembre-décembre 1995 ont-elles marqué l'entrée dans une phase de turbulence durables » ; « le réveil (…) *risque* d'être douloureux », etc. Cette mesure conduit à mettre des formes jusque dans la présentation de « nos » auteurs qui « *ont bien voulu* apporter le *complément* de leurs réactions » dans une « *première ébauche* », un « bilan *raisonné* », un « ensemble [qui] *n'a d'autre ambition que* de dresser

un *tableau commode* des principales *questions ouvertes* ».
Pour les tenants de ce discours empreint d'apparente
modestie, « il fallait aussi *essayer* de comprendre » plus que
de réagir « viscéralement » et de faire œuvre pédagogique,
« *sans autre ambition* que d'inciter le lecteur (à se reporter
aux textes originaux) » [10].

C'est aussi un discours où prévaut l'euphémisation
métaphorique, souvent propre au langage technocratique
qui prévoit un « réveil » de la société française qui « risque
d'être douloureux », décrit la présence de la « tourmente »
dans laquelle est pris « l'État-providence » et pronostique
des « turbulences durables », rencontrée dans une
« traversée » qui « promet d'être rude ». Ce discours
qui prône la nécessité d'une « pédagogie du changement »
mais critique la tentation de « précipiter le mouvement »,
ne connaît que « réformes » et « révisions » « à opérer »,
« options, questions ouvertes ou bilans raisonnés » et
ne parle que d'« ouvrir le dossier » ou de tirer « la sonnette
d'alarme ».

Mais c'est aussi l'antériorité prédictive du *Débat* qui est
en jeu dans ce discours : la revue revendique d'avoir posé
les « problèmes » engendrés par la *crise de l'État providence*,
dans « des analyses déjà parues », « depuis sa création »,
« dès 1980 », et dès l'origine des problèmes : « Depuis
la fin des années soixante-dix, les Français ont (…) refusé
d'entendre parler des difficultés (…) ». Affirmant
une position de précurseur vigilant et avisé, *Le Débat*
« n'a cessé d'appeler l'attention sur ces problèmes et
de faire place aux analyses de fond qu'ils requièrent »,
il a « continué depuis lors à multiplier les éclairages
et les points de vue ».

De cette manière la revue se distingue des redécouvertes
opérées par *Esprit*. Elle marque aussi leurs positions
respectives en se référant à la notoriété de ses (« nos »)
« auteurs ». Ayant « été de ces Cassandre (…) », le *Débat*
se doit en quelque sorte de continuer « sa quête, sa raison
d'être », ce qu'il fait en revenant sur le sujet avec de grands

auteurs, de ceux qui sont capables de proposer une
« dissection remarquable » du système de santé, de passer
des enjeux économiques à « la gamme subtile » des enjeux
sociologiques, pour aboutir à une « plaidoirie » concernant
les enjeux « anthropologiques », celle qui fait ressortir
« la part de folie inscrite dans le fonctionnement même de
nos sociétés », sans oublier « la 'crise de l'avenir' », « cachée
dans les plis de la crise économique ». « A tel point »
qu'il est dans l'ordre des choses que la revue soit conduite
à proposer une « anthologie », des « morceaux choisis »,
bien sûr « loin de couvrir la totalité des articles (…)
publiés » et à terminer sur la « figure nouvelle de
la justice sociale » que constitue (couronnement ultime)
la « philosophie des transferts sociaux ».

Ce discours trouve aussi son principe dans le recours
à une rhétorique de la science. « Les constats étaient
formulés », ou mieux le « diagnostic », celui « des impasses
et des dysfonctionnements de notre système de santé ou
de notre système de retraite », est porté par les « citoyens
éclairés » et « maints connaisseurs du domaine ». Les faits,
les « données », s'imposent ainsi d'eux-mêmes à un « nous »
universel : « Nous voici arrivés au moment de vérité où
les réformes (…) ne vont plus pouvoir être évitées ». Cette
rhétorique permet d'imposer un point de vue performatif
sur le monde, celui des « inéluctables adaptations », de
« la nécessité », de « l'ampleur », et de « l'urgence des
révisions à opérer », comme le seul point de vue possible.

L'usage de métaphores météorologiques ou médicales –
c'est-à-dire la référence à une nature en grande partie
imprévisible – est ainsi une caractéristique de ce discours.
La crise est décrite comme une « tourmente », une « phase
de turbulences » : le monde social, surtout lorsqu'il s'agit
d'individus qui ont « massivement, viscéralement, refusé
d'entendre parler des difficultés » est un fluide traversé
d'une agitation désordonnée. Cette agitation est aussi
celle d'un malade, et la « crise » et ses « solutions » sont
susceptibles d'une description « médicale » : « douleur »,

« convulsions », « diagnostic », « dissection », « crises cathartiques », « réveil douloureux » les caractérisent.

C'est un « nous » universel qui est « arrivé au moment de vérité », « nous » dont l'utilisation a pour objet d'identifier le point de vue du lecteur au point de vue des auteurs : il s'agit de réformes qui doivent s'appliquer à « *notre* appareil de protection sociale », « *notre* système de santé » « *notre* système de retraite », « *nos* démocraties sociales ». C'est aussi un « nous » qui marque la position relative des auteurs dans le débat en cours. Qu'ils s'approprient la plupart du temps appareil de protection sociale, système de santé, système de retraites et démocratie sociale, ou qu'ils tentent d'imposer leur point de vue propre comme constat objectif (quand il ne s'agit pas de « notre » système, il s'agit « du » système de santé), ils s'opposent en les disqualifiant aux « apparents » défenseurs « d'un » service public « bien mal défendu » par « ses chantres déclarés ».

Ce travail rhétorique passe aussi par la construction de figures négatives, celles des « gouvernants » et celle de « l'opinion », participant de la valorisation du « citoyen éclairé » et des hommes du *Débat* qui tendent à ne faire qu'un : *Le Débat* cultive la logique de l'entre soi et de la distinction. Ce discours est en effet à tonalité violemment anti-politique. « Citoyen éclairé », l'homme du *Débat* se définit contre les « gouvernants » et les « responsables politiques » de la « société française » (« ses » et non « nos » responsables). Ceux-ci sont avant tout associés aux « impasses » et aux « échecs », aux « difficultés » et aux « dévoiements » dont ils sont responsables « faute d'avoir endossé à temps le diagnostic ». Les descriptions des « gouvernants » oscillent ainsi entre la figure de l'incapable sans volonté, qui a « peur d'ouvrir le dossier », et celle du despote cher à la philosophie politique. Indécis, – « les réformes ont été longtemps différées » –, maladroits, voués aux « improvisations aveugles », ils se caractérisent par dessus tout par le mensonge vis à vis

de « la société » : ils ont « choisi depuis le départ de mentir
par omission », « de taire aux citoyens une vérité qu'ils
connaissaient parfaitement ». Despotes en puissance,
la « peur [les] conduit à vouloir précipiter le mouvement
et à emprunter la voie autoritaire des ordonnances » et
ils « n'ont plus le choix qu'entre une brutalité maladroite,
de toute façon vouée à l'échec et une pédagogie
du changement ». Pédagogie qui cependant « ne sera
pas facile à trouver » : c'est dire l'importance du *Débat*.

Ainsi l'homme *Débat* ou son équivalent, « le citoyen
éclairé », est du côté du « changement », mais
du changement mesuré, « raisonné », qui passe par
« l'information » – qui « a commencé à circuler » –,
par la pédagogie et non par la négociation ni *a fortiori* la
controverse ou le conflit, bref par le fait que « le désir de
savoir et de comprendre [soit] enclenché ». Et l'« opinion »,
« les populations », les « Français » – en un mot le peuple,
mais le mot serait trop grossier, trop « rude » – c'est-à-dire
ceux qui (opposés à la raison) ne réagissent que
« massivement », « viscéralement », et dont « le réveil
risque d'être douloureux sinon convulsif », dont la « peur »
s'exprime « spectaculairement » au cours de « crises
[que l'on espère] cathartiques », sont renvoyés du côté de
l'immobilisme, de la posture « défensive » vis à vis de
« toute mesure susceptible de déranger le *statu quo* », et se
voient décerner un brevet de conservatisme par ceux qui
préconisent de « traiter les problèmes sans fard » tout en
se félicitant que « la peur » (mais sans doute s'agit-il aussi
de la leur) soit « au moins pour partie conjurée ».

Pour l'appel *Grève*, la collecte des noms s'opère diffé-
remment. Elle est essentiellement prise en charge par un
petit nombre d'universitaires et de chercheurs qui, en
fonction de leur plus ou moins grande proximité du
militantisme de l'extrême-gauche, ont été joints (directement ou non) par les initiateurs de la pétition. Si,

dans la liste finale, ils se mêlent aux plus militants, ils se distinguent des initiateurs par le fait qu'ils détiennent un capital scientifique plus élevé. Les relais de l'appel *Grève* ne disposent pas d'une infrastructure comparable à celle d'*Esprit* (ou de la Fondation Saint-Simon). Les locaux de RESSY, dans le 20e arrondissement, sont momentanément utilisés, mais ne se transforment pas pour autant en quartier général de la pétition. Les noms et coordonnées des signataires potentiels – qu'ils n'est pas très facile de joindre sur leur lieu de travail dans cette période de grève des transports – sont dispersés dans les carnets d'adresses des uns et des autres. Les signataires parmi les plus mobilisés racontent leurs difficultés à joindre certaines personnes, les heures qu'ils ont passées à lire le texte au téléphone (peu de personnes disposent d'un fax ou d'un courrier électronique chez elles) et à tenter de convaincre des collègues du bien fondé de cette initiative (certains sont enchantés de cette possibilité de prendre position mais d'autres hésitent). La collecte des noms peut les occuper des journées entières : il leur faut laisser des messages, répondre à ceux qui les rappellent chez eux et, régulièrement, s'arranger pour téléphoner, faxer ou faire faxer la liste des nouvelles signatures recueillies de manière à ce que tous les noms soient centralisés, car il n'est évidemment pas question d'en perdre un seul. S'ils disposent de quelques relais organisationnels, c'est surtout par des méthodes artisanales que les organisateurs parviennent à leurs fins.

L'un des initiateurs (Henri Maler) évoque ainsi l'épisode de la collecte des noms, dans un contexte de désorganisation matérielle et dans une période de division politique des intellectuels. « Malgré la formidable difficulté de transmettre, d'abord… Parce que, c'était techniquement… On avait un numéro de téléphone et une adresse… On était sous-équipés, c'était la grève, donc rien ne nous arrivait. On a recueilli les appels d'abord à RESSY. RESSY, c'est l'association dont Jacques [Kergoat] est l'un des principaux animateurs. Ensuite, on a eu un numéro de fax, parce que Catherine Lévy avait un CCP mais n'avait pas de fax. On avait un numéro de fax localisé chez, j'ai oublié… C'était localisé ensuite chez la femme de E., qui était à ce moment-là en vacances, dont le fiston est à SUD [Solidaire, unitaire, démocratique : syndicat né d'une scission de gauche de la CFDT]. On a filé le fax à cet endroit-là. Je crois que ça s'est arrêté là, dans l'artisanat. Bon, comme c'était pas loin du local de SUD, c'est le local de SUD qui nous permettait d'envoyer les fax. »

Décrire la logique d'agrégation des noms *a posteriori* revient à distinguer plusieurs réseaux plus ou moins objectivés qui se chevauchent en partie, ne serait-ce que parce que les uns sont des réseaux militants tandis que d'autres sont plus professionnels tout en pouvant être mobilisés sur la base d'affinités politiques. Ces réseaux sont d'abord ceux de la « nébuleuse de la gauche critique » décrite dans la presse, avec ses groupes, ses groupuscules, ses revues, ses associations : au-delà de la LCR, de groupes féministes, de SUD déjà évoqués, on y trouve des associations comme RESSY, SPRAT (Société pour la résistance à l'air du temps), plus indirectement des associations radicales comme le DAL, AC !. On y trouve aussi des revues comme *Actuel Marx*, *Futur antérieur*, *Politis*, ou des laboratoires de recherche comme le Centre de philosophie politique, économique et sociale de Nanterre. Apparaissent également dans cette pétition les réseaux en partie sécants avec ceux des intellectuels communistes, comme l'Institut de recherche marxiste (devenu Espace Marx) ou les revues *Société française* et

Issues. Ces différentes institutions regroupent des enseignants ou chercheurs en sciences sociales et en histoire, « intellectuels marxistes » dont certains sont membres du Parti communiste. Le « Club de réflexions sociales et politiques Merleau-Ponty » qui rassemble de jeunes chercheurs et universitaires en science politique, sociologie et histoire, mais aussi quelques journalistes, a également participé à la mobilisation. Certains de ses membres se sont montrés très actifs pendant les manifestations : à l'instar d'autres regroupements (parfois sécants) de jeunes chercheurs militants (par exemple au sein de la revue *Critiques Sociales*), souvent inscrits en science politique (qui est la discipline la plus « mobilisée » au vu des signatures), ils entreprennent d'interroger manifestants ou grévistes sur le mouvement et sur leurs conditions de travail. Le président du club, maître de conférences en science politique, a joué un rôle sans doute déterminant. Appartenant à différents cercles scientifiques et militants (il est passé successivement par le PS, le Mouvement des citoyens puis les Verts), jouissant d'une certaine visibilité dans les champs de la science politique et de la sociologie, et couvrant à la fois des univers lyonnais et parisiens, Philippe Corcuff a contribué à l'extension du mouvement pétitionnaire.

Les réseaux professionnels constitués par les départements universitaires et les laboratoires de recherche interviennent également dans la mobilisation : plusieurs départements de l'Université de Paris VIII (Saint-Denis), les départements de science politique et de sociologie à Lyon II, des laboratoires universitaires (par exemple le LERSCO, Laboratoire d'études et de recherches sur la classe ouvrière, à Nantes) ou localisés dans des instituts de recherches. Le Groupe d'études sur la division sociale et sexuelle du travail (GEDISST) et l'ex-Centre de sociologie urbaine (CSU) penchent très nette-ment du côté *Grève*. A l'Institut national des études démographiques (INED) un chercheur est contacté et renvoie un ensemble de signatures par fax. La mobilisa-tion au sein d'un centre de recherches dépend de l'homogénéité du groupe, des principes auxquels obéit le regroupement de chercheurs au sein d'une même unité administrative et de l'histoire du laboratoire. En prenant quelques exemples, on mesure combien les centres de recherches constituent des réseaux de mobili-sation tantôt très efficaces et tantôt inertes. Plusieurs membres du Centre de sociologie de l'éducation et de la culture (CSEC), longtemps dirigé par Pierre Bourdieu, se sont retrouvés parmi les signataires de l'appel *Grève*, mais le laboratoire n'a pas fonctionné comme réseau de mobilisation : ceux qui ont signé l'appel ont été contac-tés par des relais extérieurs au laboratoire, souvent diffé-rents pour les uns et les autres, et ils n'ont pas répercuté l'information auprès de leurs collègues. Une partie des chercheurs qui auraient souhaité signer n'ont pas été contactés. Au CSU, au contraire, les chercheurs ont presque tous été informés par deux membres du centre, dont le directeur, contacté lui-même très tôt. Le person-nel administratif et la majorité des doctorants ne l'ont pas été. En dehors des affinités politiques, ce sont égale-ment les statuts universitaires qui jouent. Le GEDISST illustre une autre situation. Pré-mobilisés notamment à la suite de la manifestation féministe du 25 novembre, des membres du groupe continuent de se rendre au laboratoire pendant les grèves, interrompent leurs sémi-naires et se retrouvent dans les manifestations. A travers les différents réseaux mobilisés, les organisateurs de l'appel *Grève* réunissent, dans les premiers jours de

décembre, 162 signatures qu'ils faxent au *Monde*. La
pétition publiée le 15 décembre en compte plus de 500.
D'autres parviennent spontanément à Catherine Lévy,
qui recueille chèques et signatures.

4

Des noms
qui comptent

La réussite d'une liste d'intellectuels ne se juge pas seulement au nombre des noms rassemblés mais aussi à la qua-
lité des signatures. Dans l'univers intellectuel, où l'on
n'existe vraiment que lorsqu'on s'est fait un nom, donner
son nom à une liste revient à donner tout ce qui, chez les
intellectuels, va avec le nom : l'autorité et la notoriété
conquises par les œuvres et les actions antérieures. Dans
les listes d'intellectuels, comptent surtout les noms qui
comptent, alors que les pétitions d'anonymes – qui
regroupent des noms qui n'évoquent rien –, ne comptent
que par le décompte des noms qu'elles comptent. L'efficacité ne consiste donc pas seulement à agréger un grand
nombre de noms, mais aussi à obtenir le ralliement de
noms qui apportent leur autorité à la cause défendue.
Mais tous les noms ne sont pas porteurs du même type
de capital symbolique et, par conséquent, ne « comptent » pas pour les mêmes raisons. La notoriété de certains signataires se limite, dans certains cas, à une région
très réduite de l'espace social (le champ scientifique, par
exemple), quand d'autres noms représentent des valeurs
intellectuelles, auteurs d'œuvres notoires, connues et
reconnues du grand public culturel : le capital symbolique se spécifie en autant d'univers sociaux relativement
autonomes. Selon les champs où ils souhaitent « comp-
ter » mais aussi vers lesquels ils sont portés par leur propre
position, les entrepreneurs de différentes pétitions ne se
tournent pas vers les mêmes notoriétés.

S'agissant de l'appel *Réforme*, ce sont essentiellement

des membres de la Fondation Saint-Simon qui concentrent le capital symbolique de la liste. Ces personnalités occupent des positions dans l'univers politico-bureaucratique : Pierre Rosanvallon, secrétaire général de la Fondation et directeur d'études à l'EHESS, Jean-Paul Fitoussi, président de l'Observatoire français des conjonctures économiques (OFCE) et administrateur du Groupe des assurances nationales, tous deux anciens membres de la commission Minc sur la France de l'an 2000, Denis Olivennes et Nicolas Dufourcq, énarques.

Si ces quatre signatures ont été particulièrement importantes, c'est que, comme le dit l'un des entrepreneurs de la pétition, elles ont « lancé la machine » : « il se trouve que j'étais dans un groupe de travail à la Fondation, avec Fitoussi et Rosanvallon, qui n'est pas un groupe Fondation, on préparait un livre collectif sous leur direction [*Le nouvel âge des inégalités*] auquel moi je collaborais de loin, c'est tout. On avait mis un peu en route ça, j'ai fait circuler le texte, et là comme il y avait des signatures importantes, de Fitoussi, Rosanvallon, Olivennes, Dufourcq, ça a lancé la machine, et puis c'est comme ça qu'on a été pris dans une machinerie qu'on n'avait pas tout à fait anticipée ».

Pour la liste *Grève*, c'est l'arrivée du capital symbolique associé au nom de Pierre Bourdieu qui lance une « machinerie » que les initiateurs de l'appel n'avaient pas vraiment anticipée non plus. L'autorité qu'il représente est telle que, par la suite, la pétition sera parfois appelée « appel Bourdieu ». C'est par l'intermédiaire de Catherine Lévy, à la fois membre de l'ARESER et du « groupe des onze », qu'est arrivée sa signature, qualifiée par un interlocuteur de « carburant symbolique ». Professeur au Collège de France, directeur d'études à l'EHESS, il est à la fois l'auteur d'une œuvre scientifique connue et reconnue, et une sorte de garant moral depuis la publication et la réception de *La misère du monde* en 1993. De plus, la rareté relative de ses interventions le distingue d'autres « notoriétés » de la liste, comme Léon Schwartzenberg ou Albert Jacquard (tous deux cofondateurs de Droits devant!). Ceux-ci n'apparaissent plus comme des représentants dominants dans leur champ (cancérologie, génétique humaine) mais plutôt comme des « grands pour les profanes » qui ont abondamment pris position par des pétitions ou des coups médiatiques dans les années précédentes, dévaluant du même coup le poids de leur signature.

UNE SIGNATURE

Normalien et agrégé de philosophie, Pierre Bourdieu, jusqu'à la fin des années 1970, s'est essentiellement consacré à son travail de chercheur, à la direction d'un laboratoire (le Centre de sociologie européenne), de la revue *Actes de la recherche en sciences sociales* (créée en 1975) et de la collection *« Le sens commun »* aux éditions de Minuit. A la fin des années 1960 et au début des années 1970, ni membre du PC (et ne l'ayant jamais été), ni « compagnon de route » des groupes gauchistes, il était perçu comme un scientifique extérieur à la politique par des collègues ou des étudiants (engagés « à sa gauche »)[11]. Pourtant son entreprise scientifique n'a pas cessé d'avoir des implications politiques, qu'il s'agisse de ses travaux sur l'Algérie (pendant la guerre de libération)[12], ou sur le système scolaire avec *Les héritiers*, ouvrage souvent cité par les étudiants contestataires des années 1960 qui deviendront la cible des intellectuels conservateurs et des journalistes qui se font leurs interprètes.

Son élection au Collège de France en 1981 s'accompagne de la multiplication de ses interventions dans le champ politique. Nicolas Caron voit dans son soutien à la candidature de Coluche aux élections présidentielles de 1981 à la fois une manière de soutenir

publiquement un point de vue critique sur le
fonctionnement du champ politique qui s'inscrit dans
le droit fil de ses travaux, et une manière d'affirmer son
« indépendance » vis à vis de l'institution dont il deviendra
bientôt membre. Lorsque s'organise, en décembre 1981, le
soutien au syndicat polonais *Solidarnosc,* il est à l'initiative
d'une pétition contre le « coup d'État » de la junte
polonaise : avec Michel Foucault et Henri Cartan, il
rencontre des responsables de la CFDT entourés de leurs
conseillers intellectuels les plus proches, Jacques Julliard,
Pierre Rosanvallon, Alain Touraine [13]. Dans les années 80,
il participe à la rédaction d'un rapport collectif des
professeurs du Collège de France « *pour un enseignement de
l'avenir* », et dirige une « revue européenne » intellectuelle,
Liber. Il contribue aussi activement à la mise en place
d'associations sur l'Algérie (CISIA) ou l'enseignement
supérieur et la recherche (l'ARESER), qui doivent permettre
l'intervention durable et cohérente d'un « intellectuel
collectif » dans le champ politique, et un dépassement
des limites inscrites dans les figures (historiques)
de « l'intellectuel engagé » (Sartre) ou de « l'intellectuel
spécifique » (Foucault) [14]. Parallèlement à ses travaux
sur le champ littéraire et sur l'État, qui restituent à
« *l'universel* » et à l'autonomie des mondes scientifiques
et artistiques leur statut de conquêtes sociales, il invite
artistes et savants à lutter, par-delà les frontières nationales,
pour « *un corporatisme de l'universel* ».

   La noblesse d'État, consacrée aux grandes écoles
et aux grands corps qui en sont issus, paraît l'année
du bicentenaire de la Révolution Française. Elle heurte
de front le discours de célébration officiel en montrant
la persistance de formes d'aristocratie consacrées par
la République. Début 1993 est publiée *La misère du monde*
– dont le succès dépasse le public des pairs. Cette enquête
collective sur la souffrance et ses causes sociales met en
évidence l'accroissement de la « misère de condition » des
classes populaires et de la « misère de position » des petits

fonctionnaires qui accompagne le retrait de l'État
social, amorcé dans les années 70 et poursuivi par les
gouvernements socialistes. L'opposition entre « main droite »
et « main gauche » de l'État fait alors le lien entre les deux
ouvrages : la grande noblesse d'État laisse la petite noblesse
d'État en première ligne face aux « problèmes » que
la première a contribué à créer.

Son engagement lors du conflit de décembre 1995
ne peut donc étonner tant il était inscrit dans les
développements de son œuvre et de ses activités dans le
champ intellectuel. L'ampleur des grèves et les réactions
qu'elles suscitent parmi les membres des classes dirigeantes
illustrent les analyses sociologiques de la fermeture
du champ politico-médiatique sur ses enjeux propres,
de la morgue sociale de la grande noblesse d'État envers la
petite, et de la nécessité de l'engagement des intellectuels
autonomes. L'intervention de Pierre Bourdieu à la gare
de Lyon à l'issue de la manifestation du 12 décembre
les rappelle. Elle porte la critique sur l'opposition politico-
médiatique entre la « raison » attribuée aux dirigeants et
l'« irrationalité » imputée aux grévistes. Venu pour dire
le soutien des intellectuels « à tous ceux qui luttent contre
la destruction d'une civilisation, associée à l'existence
du service public » sans prétendre formuler à leur place ce
que les acteurs du mouvement ont à dire, il dénonce dans
Alain Juppé, l'incarnation de cette grande noblesse d'État
convertie au libéralisme et à la dénonciation des prétendus
« privilèges » des salariés du secteur public. A la « tyrannie
des "experts", style Banque mondiale ou FMI, qui imposent
les verdicts du nouveau Léviathan, les marchés financiers »
il oppose « ceux qui refusent la nouvelle alternative :
libéralisme ou barbarie ». Moins qu'un texte prophétique,
son intervention est un appel aux intellectuels, seuls à
même de contrer la vision technocratique en lui opposant
« une connaissance plus respecteuse des hommes et
des réalités auxquelles ils sont confrontés ».

L'effet des noms prestigieux introduit une arithmétique qui interdit de calculer le « poids » d'une pétition par l'addition des « poids » associés à chaque nom ; poids qui dépendent beaucoup de ceux qui devront les apprécier, en particulier les journalistes (qui mesureront la valeur du nom selon des logiques d'interprétation très variables, mêlant des critères politiques, médiatiques et intellectuels). Par ailleurs, ces noms qui comptent, par leur seule arrivée dans la liste, attirent d'autres noms qui, sans eux, ne se seraient jamais ralliés. « C'est marrant comment ça se fait, parce qu'une fois qu'on a débloqué un certain nombre de noms, après, les choses se débloquent toutes seules, quoi ! », remarque l'un des mobilisateurs. L'arrivée de noms qui comptent beaucoup peut écarter certains signataires potentiels. On le voit dans le cas de l'appel *Grève*, où le nom de Pierre Bourdieu suscite des refus chez certains sociologues qui craignent qu'il ne monopolise le mouvement et ne cherche à en tirer des profits personnels. Mais il permet aussi de rallier des personnes qui ne signeraient sans doute pas en son absence, parce que, proches scientifiquement ou intellectuellement de Pierre Bourdieu, elles sont peu militantes. De jeunes chercheurs en sciences sociales trouvent ainsi l'occasion d'affirmer leur appartenance à l'univers intellectuel. A la signature de Pierre Bourdieu est aussi liée celle du philosophe Jacques Derrida, qui, aux yeux des initiateurs, ne figurait pas à l'origine parmi les signataires potentiels de l'appel. Ces effets fonctionnent également à échelle plus réduite, autour de noms moins prestigieux (comme des responsables associatifs, auprès de certains lecteurs d'*Esprit*, ou des universitaires, auprès de leurs doctorants). Jacques Derrida s'investit très peu dans la pétition et ne prend aucune autre position publique au cours du mois de décembre. Il ne fait qu'une chose : donner son nom. Mais il sera systématiquement cité dans la presse, alors que d'autres, à commencer par les entrepreneurs de la liste, infiniment plus investis dans l'entreprise, ne sont jamais nommés ou ne le sont que très tardivement. Les initiateurs de l'appel *Grève*, sans qui la pétition n'aurait sans doute jamais été entreprise ni menée à terme, n'ont pas l'autorité intellectuelle ou scientifique nécessaire pour permettre à la pétition de rencontrer un écho dans la presse et plus généralement dans le champ politique. A certains égards, il en va de même des entrepreneurs de l'appel *Réforme*, intermédiaires qui ne cessent de diffuser des savoirs qu'ils ne produisent pas et de se faire porte-parole de groupes auxquels ils n'appartiennent pas vraiment, et qui ne peuvent fonder la légitimité de leur pétition que sur les signatures issues de la Fondation Saint-Simon, de l'Université, de la haute fonction publique ou des milieux associatifs, ou bien sur le nom de la revue *Esprit*.

Les deux principales listes de décembre réunissent, dans des proportions et sous des formes différentes, les multiples espèces de capitaux nécessaires à la réussite d'une pétition d'intellectuels, dont la gestion et surtout la publication dans la presse coûtent cher. Les frais de gestion de l'appel *Grève* sont couverts en partie sur les ressources personnelles des plus mobilisés et le coût de la publication est prélevé sur les fonds collectés et initialement destinés aux grévistes. L'appel *Réforme* bénéficie de l'infrastructure d'*Esprit*, la trésorerie couvrant la publication de la liste. Une contribution financière de quelques centaines de francs est ensuite demandée à chacun des signataires.

Dans leur recherche de capital symbolique, les entrepreneurs des deux listes n'entrent que rarement en concurrence, ce qui indique qu'un fort clivage au sein du champ intellectuel pré-existait, qui délimitait deux ensembles pratiquement distincts de signataires potentiels. Robert Castel qui est, avec quelques autres (François Dubet, Pierre Vidal-Naquet notamment), l'une des rares personnes contactées des deux côtés, constitue une exception particulièrement intéressante. A son nom est associé un prestige pour partie lié aux « problèmes » soulevés par la crise (la protection sociale, la santé, la précarité, l'exclusion, etc.) et sa trajectoire rend également probable son adhésion à l'une ou l'autre pétition. Les entrepreneurs de l'appel *Réforme*, qui ont déjà obtenu les signatures de Maurice Pagat, du sociologue-consultant Guy Aznar, des chercheurs au CNRS Jean-Louis Laville, Serge Paugam et Guy Roustang, pensent d'autant plus à le contacter qu'il a exprimé dans les revues *Projet, Esprit* et *Le Débat* des positions proches de celles qui sont défendues dans leur pétition. Mais ses travaux témoignent de l'influence qu'ont exercé sur lui plusieurs penseurs « critiques », Foucault, Bourdieu, Goffman et Deleuze. Tout se passe, en fait, comme si les entrepreneurs de l'appel *Réforme* s'adressaient au Robert Castel d'aujourd'hui, tandis que ceux de l'autre pétition continuaient à l'associer à une position qu'il n'occupe plus. Parmi les noms recherchés par les entrepreneurs de pétitions, certains sont très convoités, d'autres indésirables. C'est ainsi que Harlem Désir est exclu de l'appel *Grève*, alors que son nom a été proposé et adopté lors de la première réunion regroupant « *les onze* » et les représentants de la Gauche socialiste.

Les pétitions, telles qu'elles apparaissent finalement dans la presse (sous la forme d'encarts publicitaires dans le quotidien *Le Monde*), sont le produit de luttes entre les différents signataires, qui disposent d'un pouvoir variable pour peser sur le sens de l'entreprise suivant le capital qu'ils apportent, et qui usent d'instruments différents pour le faire selon le type de ressources, symboliques, organisationnelles, sociales qu'ils détiennent. Si le capital symbolique permet d'agir au grand jour pour modifier le sens de l'entreprise, les détenteurs d'autres formes de capital sont plutôt enclins à jouer dans l'ombre. Certaines signatures, par leur poids, réécrivent en quelque sorte le texte et d'abord au sens propre : l'apparition des noms associés à un fort capital symbolique s'accompagne d'une réécriture du texte ou, tout au moins, d'amendements.

Deux des rédacteurs en chef d'*Esprit* évoquent ainsi l'élaboration du texte de l'appel *Réforme* et le travail de réécriture dont il a fait l'objet en passant par la Fondation Saint-Simon : « Il y a eu un premier jet. Bon, on en a discuté un petit peu avec Olivier Mongin et puis… J'ai rédigé un vendredi, il se trouve que lui, pendant le week-end, il avait une réunion justement avec ce petit groupe là [de la Fondation] . Et donc, le texte a été un petit peu amendé pendant ce moment-là, pendant le week-end. Enfin, les vingt premiers signataires ont un petit peu amendé le texte quoi ». « Il y a eu une première mouture qui a été faite comme ça, un peu dans un mouvement de colère et puis ensuite elle a été revue sur le fond, parce qu'il ne fallait pas dire de bêtises sur les questions de Sécurité sociale et de protection sociale, donc par des gens qui connaissaient bien le dossier comme Rosanvallon par exemple, et donc voilà, on est arrivé à la version qui a été publiée et c'est sur cette version que les gens ont signé ».

Dans sa version finale, le texte de l'appel *Réforme* se compose de trois parties. Dans le paragraphe introductif, les signataires soulignent « le courage et l'indépendance d'esprit » de la CFDT qui, par la voix de Nicole Notat, a pris parti en faveur d'un plan prévoyant « la mise en place

d'un régime universel d'assurance-maladie financé par
l'ensemble des revenus ». Le second paragraphe, plus
technique, se prononce en faveur de la fiscalisation du
financement de la Sécurité sociale, de « la maîtrise médicalisée des dépenses de santé » et la parlementarisation du
budget de la protection sociale. Ainsi, les signataires
approuvent l'ensemble de la réforme de l'assurance-maladie proposée par le plan Juppé. Un dernier paragraphe
mentionne les « aspects contestables » du projet de
réforme (imposition des allocations familiales, réforme de
certains régimes de retraite). Au total, le texte reproduit la
vision du plan Juppé que proposait, dès la présentation
du plan, Nicole Notat : la réforme est présentée comme
nécessaire pour « sauvegarder » le système de Sécurité
sociale français ; elle est centrée, comme le marketing
gouvernemental, sur l'universalisation de l'assurance-
maladie qui ne donne pourtant lieu à aucune mesure
immédiate ; le texte ne comporte aucune allusion aux
risques de privatisation ultérieure (dénoncés par exemple
par FO) qu'enferme la parlementarisation et l'étatisation
du système – si le texte n'évoque pas ces risques, c'est que
le plan est précisément présenté, par ses défenseurs de
gauche, comme la réforme de la dernière chance avant la
privatisation –, pas plus qu'il ne critique un financement
pesant sur les salariés.

Le texte de l'appel *Grève* fait l'objet d'une réécriture
d'une autre nature. Recevant la version rédigée par le
« groupe des onze », Pierre Bourdieu, absent de Paris, la
reprend. Il raccourcit le texte d'un quart environ, et y
ajoute principalement la référence aux « acquis universels
de la République » qui se substituent à « l'intérêt général »
invoqué dans la première version. La rhétorique mobilisatrice et fédératrice des porte-parole du « mouvement
social » s'estompe et les revendications ou allusions

immédiatement liées à la conjoncture politique (les tentatives du RPR pour mobiliser les usagers, le retrait des plans du gouvernement) sont supprimées. Le texte n'appelle plus seulement à un soutien pratique et financier aux grévistes, mais aussi « à la réflexion radicale sur l'avenir de notre société que (le mouvement) engage ». Les modifications apportées par Pierre Bourdieu sont acceptées par les auteurs de la première version. D'après l'un des initiateurs de l'appel, la suppression de la référence à « l'abrogation du plan Juppé » pose cependant problème : « bon, ça nous gênait, ça gênait également les gars de la Gauche socialiste qui pensaient que c'était fondamental… ».

Le président du Club Merleau-Ponty, Philippe Corcuff, met ses relations au service de l'appel *Grève*, pour tenter de réorienter l'agrégation de noms et atténuer la connotation « marxisante » et « gauche critique » qui risque, à ses yeux, d'entacher la cause défendue. Il vise aussi à rassembler des représentants des « nouvelles sociologies » auxquelles il a consacré un « 128 pages ». Retrouvant dans cette mobilisation de soutien aux grévistes les idées et les ambitions qui l'animent pour son club, il explique ainsi : « J'ai fait le travail d'élargissement. J'avais le souci que ce ne soit pas seulement les intellectuels issus de la mouvance marxisante qui soutiennent ça, avec simplement toutes les organisations dites de la gauche critique. Donc je voulais élargir aux courants intellectuels un peu porteurs aujourd'hui mais qui ne se reconnaissent pas dans des classifications politiques. Donc je pensais qu'il fallait constituer une zone d'attraction autour d'une perspective de gauche, anti-libérale, mais qui attire justement des courants qui ne sont pas habituellement mobilisés pour des questions politiques. Donc c'était pour ça que, pour moi, c'était important que Boltanski, Thévenot,

Desrosières, de Singly, Alain Joxe même… signent. Et Vidal-Naquet comme autorité disons intellectuelle… Bon il y avait oui, Callon aussi, Althabe, Dubet. Non, Dubet j'ai essayé, mais il avait signé la pétition *Esprit*, Il y a un certain nombre de gens qui étaient gênés d'avoir signé la pétition *Esprit* ».

Les tensions entre entrepreneurs initiaux et relais mobilisateurs (ou simples signataires), entre le sentiment de dépossession des uns et le sentiment d'instrumentalisation des autres, se manifestent lors d'une assemblée générale des signataires, organisée rue du Dragon (lieu d'action du DAL) près d'une semaine après le lancement de la pétition. Deux enjeux apparaissent. Le premier concerne la représentation du mouvement : que représente le groupe des initiateurs ? Faut-il désigner de nouveaux délégués ? Suivant quels principes ? Le second porte sur l'usage des fonds recueillis. Dans les deux cas, deux pôles se distinguent clairement. Le groupe des initiateurs, plus « militant », organise la réunion. Rompu aux techniques de l'assemblée générale, il contrôle pour une part la désignation des représentants, alors qu'un autre pôle, constitué plutôt de sociologues et de chercheurs en science politique, parvient à infléchir ces désignations après diverses protestations. Quant aux fonds recueillis, les premiers tendent à privilégier le seul soutien financier aux grévistes, alors que pour les seconds, le plus urgent est de rendre publique cette pétition dans le journal *Le Monde* et ne pas se limiter aux communiqués de presse. S'ils se sont mobilisés, c'est pour manifester personnellement et collectivement leur soutien symbolique, et non seulement matériel, aux grévistes. Renoncer à cette publication permettrait au « *groupe des onze* » de reprendre le contrôle de l'entreprise. Le débat porte non seulement sur la publication, mais aussi sur la mention ou non

(« faute de place ») de titres (professionnels) accompagnant les noms. Dans cette confrontation, le groupe des initiateurs possède en propre les signatures : c'est Didier Leschi, doctorant en science politique, militant du MDC, qui saisit et centralise les noms sur une disquette. Les autres constituent l'un des relais possibles – le plus « intellectuel » – avec Pierre Bourdieu, qui est alors sollicité par le « groupe des onze » pour intervenir gare de Lyon (comme il le sera, début 1996, pour les « États généraux du mouvement social »). Ils disposent également de contacts privilégiés auprès du journal *Le Monde*. Finalement, la Fédération syndicale unitaire (FSU) avancera les 50.000 F nécessaires à la publication dans *Le Monde* (Monique Vuaillat, secrétaire générale du SNES, membre de la FSU, signe la pétition) et les noms figureront accompagnés des seules initiales des prénoms. L'afflux de chèques permettra un remboursement rapide du syndicat ainsi qu'un versement à l'intersyndicale des cheminots.

5

Les journalistes, signataires invisibles

Les entrepreneurs doivent diffuser des communiqués de presse pour accéder à l'existence publique. Pour les deux pétitions, *Le Monde* est le principal organe de presse visé. Un fax concernant l'appel *Réforme* parvient ainsi au journaliste du *Monde* chargé de suivre les questions touchant à la « Sécurité sociale », qui lui consacre un article et précise l'identité de certains des signataires. Les entrepreneurs de l'appel *Grève* procèdent de la même manière quelques jours plus tard. Ils envoient un fax à la rédaction en chef. Un article paraît en dernière page le 4 décembre, qui signale la pétition, mentionne quelques-uns des signataires, dits « principaux », et commente brièvement l'initiative. Lorsque l'existence d'une pétition est publique, les entrepreneurs et les signataires doivent assurer des tâches comparables à celles que les cinéastes appellent « le service après-vente ». Il faut fournir aux journalistes les indications et précisions qu'ils demandent, répondre aux éventuelles demandes d'interviews, informer régulièrement des nouvelles signatures recueillies et parfois rappeler aux journalistes ce sur quoi « il est important d'insister ». L'un des entrepreneurs de l'appel *Réforme* envoie ainsi un fax au *Monde* le 5 décembre où il fait le point sur la pétition, précisant qu'« après la publication (…) du texte d'appel, les signatures continuent d'affluer » et où, contre la tendance de la presse à présenter l'appel comme une pétition d'intellectuels de gauche en concurrence avec l'appel *Grève*, il souligne que « ce texte n'est pas un manifeste d'intellectuels, il vise avant tout à s'opposer à l'évolution de la protection sociale vers un système assurantiel privé ». De manière générale, les entrepreneurs tentent de peser sur la représentation que les journalistes donnent de leurs pétitions. Ceux de l'appel *Réforme* insistent ainsi sur le fait que les signatures recueillies sont celles de « militants de gauche, d'intellectuels, d'experts, de responsables d'associations de lutte contre l'exclusion ». Ceux de l'appel *Grève* tentent, eux, d'imposer aux journalistes l'image d'une liste pluraliste, réunissant une grande variété de sensibilités politiques et universitaires. L'un des entrepreneurs remet au *Monde* une sélection de 17 signataires, mini-liste conçue comme un dosage entre les différentes sensibilités des pétitionnaires.

Le succès des pétitions est très fortement subordonné à l'écho qu'elles rencontrent auprès des journalistes[15] : au succès des deux principales listes s'oppose l'échec, plus ou moins patent, d'autres interventions moins relayées par les médias. A l'appel *Réforme* qui bénéficie d'un article dans *Le Monde* et d'un sujet dans le journal télévisé de vingt heures sur France 2, s'opposent ainsi les pétitions qui ne font l'objet que d'un communiqué AFP, ou celles qui sont rapidement publiées mais par des quotidiens spécialisés (*Les Échos*) ou marqués politiquement (*L'Humanité*). Parmi ces listes qui n'ont qu'une existence médiatique réduite, figurent les appels d'économistes et l'*Appel pour une réforme audacieuse de la Sécurité sociale*. Lancée par des économistes communistes, cette pétition, la seule qui se donne comme un contre-plan à la réforme du gouvernement (en proposant de déplacer la charge des prélèvements des ménages vers les revenus financiers des entreprises et des banques), recueille la signature d'universitaires et de médecins dont beaucoup sont liés au PCF. Rendue publique dans la première semaine de décembre par *L'Humanité* qui lui consacre plusieurs articles, elle est, dans les autres médias, éclipsée par l'appel *Grève* (*Le Monde* n'en rend compte que très tardivement et ce dans un encadré qui la marginalise au regard des deux autres listes). Le « Comité national de soutien aux grévistes », constitué dans le but d'« œuvrer en toute indépendance pour que l'esprit d'aide et de fraternité se développe à l'égard des grévistes du pays », connaît un sort assez similaire. Ce comité se constitue dans les mêmes moments que l'appel *Grève*. Il est essentiellement composé d'artistes connus du grand public et des médias (Anémone, Jean-Pierre Bacri, Francis Lalanne, Marina Vlady…). Mais il compte aussi les signatures de Régis Debray, Gilles Pérault, Sami Naïr et Léon Schwartzenberg (qui soutiennent également l'appel *Grève*).

Les journalistes qui parlent des appels (c'est-à-dire, principalement, ceux des quotidiens et des hebdomadaires les plus « culturels ») sont en quelque sorte des signataires invisibles qui pèsent collectivement sur la représentation des pétitions et qui en redéfinissent le sens d'une manière parfois peu conforme aux intentions de certains de leurs signataires. Des signataires de l'appel *Réforme* estimeront que *Le Monde* a « dénaturé » la pétition, en retardant l'insertion de l'encart publicitaire. Du fait de ce retard, avant tout imputable aux tarifs publicitaires du quotidien (moins élevés le samedi que les autres jours de la semaine) et au fait que les entrepreneurs ont cherché l'encart le moins cher, l'appel, finalement publié après la première semaine complète de grèves, risque d'apparaître comme un désaveu des grévistes. De plus la rédaction en chef peut décider de son propre chef de publier une pétition, en rendre compte, en faire un

« événement », ou bien la passer sous silence ou ne l'accepter que sous forme d'encart publicitaire (payant). Dans leurs commentaires, et même parfois simplement dans le titre de leurs articles, les journalistes jugent du sens politique qu'il convient de donner aux pétitions. Ainsi, dans le cas de l'appel *Réforme*, le fait de parler d'une pétition d'« intellectuels », d'« experts », de « militants associatifs », est incontestablement un enjeu, comme l'ont montré les réactions de certains non-signataires, indignés à l'idée que la liste *Réforme* puisse passer pour représentative de l'ensemble des intellectuels. Les journalistes n'ont sans doute pas toujours mesuré l'importance de cet enjeu : là où *Le Monde* présente la pétition comme émanant d'« experts de gauche », *Les Échos* titrent « la position du PS contestée par *les* intellectuels » (c'est nous qui soulignons). Les médias ont également largement contribué à imposer l'idée que les deux pétitions étaient « en guerre » l'une contre l'autre. Dans la deuxième quinzaine de décembre, les hebdomadaires consacrent tous un article à « la guerre des deux listes » ou à la « guerre des intellectuels ». Pour montrer combien la métaphore de la guerre est approximative, on peut rappeler que dans chacune des listes, certains signataires reconnaissent qu'ils auraient pu signer également l'autre texte (même s'ils ne l'ont pratiquement jamais fait). Les uns, tout en soutenant les grévistes, approuvent certains aspects du plan Juppé. Les autres, signataires de l'appel *Réforme*, ne tiennent pas à apparaître hostiles aux grévistes.

On devine d'ailleurs aisément les difficultés des responsables d'*Esprit*, toujours soucieux d'être « citoyens avec les autres, et non pas contre les autres », brusquement engagés dans une « bataille » qu'ils n'ont ni l'envie ni les moyens de mener. Comme dit Olivier Mongin : « Moi, ce qui m'a énervé à titre personnel, c'est la paresse, et la

maladresse consistant – on a écrit ça dans le numéro
[d'*Esprit*] de janvier – à faire dériver un débat de fond sur
la Sécurité sociale vers une guerre d'intellectuels qui n'a
aucun sens et aucun intérêt. Nous, c'est pas en tant qu'intellectuels, c'est en tant que citoyens soucieux de ces problèmes qu'on est intervenus. La question de savoir si on
est des intellectuels sartriens ou pas est tout à fait secondaire pour nous. (…) Malheureusement, c'est comme ça
que ça a été lu par les médias qui adorent effectivement
les guerres quand c'est entre intellos. En plus, c'est pas
dangereux… (…) Le risque des débats médiatiques, c'est
d'être pris dans des joutes et des guerres qui n'ont pas de
sens pour nous, donc c'était ça un peu la difficulté à
gérer ».

Le thème de la « guerre » conduit à généraliser à l'ensemble des signataires une disposition qui n'anime sans
doute qu'une petite partie des intellectuels concernés.
Pour approximatif qu'il soit, le schème n'en est pas moins
efficace, puisque des intellectuels sont sollicités par des
journalistes pour dire ce qui les oppose aux signataires de
l'autre appel et que se répand dans la presse l'image, qui
ne va pas sans anti-intellectualisme, d'un groupe de
« maîtres à penser » prétentieux, donneurs de leçons mais
incapables de s'accorder sur une position unique.

De surcroît, les journalistes, lorsqu'ils font connaître
l'existence d'une liste, procèdent à une sélection des
noms les plus « importants » à leurs yeux, que les entrepreneurs de listes ne contrôlent qu'imparfaitement. La
presse donne des versions différentes de la genèse de la
pétition, faisant par exemple de l'appartenance au noyau
dur des « initiateurs » de l'appel *Grève* un enjeu, comme
l'atteste la première phrase du compte rendu au Comité
central de la LCR (cf. annexe page 37). Des journalistes
attribuent la paternité de la pétition à des signataires qui

ne figuraient pas dans le « groupe des onze ». On ne trouve d'ailleurs pas dans la presse sa composition exacte, jusqu'à ce que certains membres du groupe insèrent dans *L'Humanité* une liste du premier cercle des initiateurs (dont certains ne sont même pas signataires). Un peu comme les « opportunistes » qui, lorsque les listes rencontrent un certain succès, tentent de « récupérer » les pétitions à leur profit, les journalistes peuvent menacer les « initiateurs », sans même le vouloir, de les en déposséder symboliquement.

Lorsqu'ils s'expriment publiquement, les intellectuels sont censés délivrer un avis « éclairé » et « autorisé » (par l'institution, universitaire par exemple, à laquelle ils appartiennent). Pour cette raison, ils constituent des interlocuteurs particulièrement intéressants pour les journalistes dans une conjoncture où, comme l'ensemble du monde politico-médiatique, l'ordre journalistique ordinaire est troublé. La présentation du plan Juppé, les manifestations étudiantes et bien sûr les grèves, sont pour les médias des « événements » : la presse écrite en fait presque systématiquement ses « unes », une partie importante des journaux télévisés de 20 heures leur est consacrée, des émissions spéciales sont organisées dans l'urgence. Le paradoxe de ce type de situations tient au fait que, si nombre de rédactions sont portées à accorder beaucoup d'importance à ces événements, les journalistes n'ont pas toujours la matière et l'autorité nécessaires pour les commenter. Ils trouvent donc auprès des acteurs des événements, des experts ou des intellectuels, un moyen de surmonter cette difficulté. Dès la présentation du plan Juppé et les manifestations étudiantes, les médias font appel à nombre de spécialistes de la protection sociale et de la jeunesse, demandant aux uns de donner une appréciation éclairée sur la réforme de la Sécurité sociale, son contenu et son opportunité, et aux autres de dire quelle est la mesure du « malaise étudiant ». Dans cette deuxième quinzaine de novembre, les intellectuels médiatiques, ceux qui tiennent des chroniques dans la presse ou qui, comme Alain Minc au *Figaro*, donnent très régulièrement des interviews ou des articles sur l'actualité, s'expriment aussi largement.

La généralisation de la crise accentue encore le besoin journalistique d'intellectuels et d'experts. A mesure que le mouvement s'avère durable et profond, il s'impose de plus en plus comme un « événement » tout à fait majeur, autour duquel les rédactions doivent se mobiliser, mais dont le traitement pose de plus en plus de problèmes. Les journalistes se heurtent au « silence des politiques » qui, devant des événements imprévus à l'issue imprévisible, préfèrent s'abstenir momentanément de commenter la situation. Un consultant qui a participé à l'organisation d'une émission spéciale se souvient ainsi que « les gens du RPR n'étaient pas très pressés pour venir, ni les ministres (…) Les socialistes n'étaient pas pressés du tout ». Tandis que les politiques, interlocuteurs privilégiés en temps ordinaires, se dérobent aux invitations médiatiques, les journalistes sont en quelque sorte de moins en moins autorisés à commenter. De plus en plus surveillés, ils se surveillent de plus en plus, comme l'attestent aussi bien l'apparition dans la presse écrite de controverses sur la couverture télévisée des grèves que les divisions qui se font jour dans certaines rédactions.

Toutefois, le problème ne se pose pas exactement de la même manière, selon la définition de l'excellence journalistique qui prévaut dans chaque rédaction et qui définit ce qu'un journaliste peut dire sans se discréditer. Le cas des rédactions ouvertement engagées (*L'Humanité*, *Le Figaro*) est ainsi un peu à part : elles sont peu divisées sur

les « événements » et l'on voit des journalistes prendre
parti, au nom du militantisme ou du « papier d'opinion ». Si ces journaux (*L'Humanité* particulièrement) se
tournent en décembre vers les intellectuels bien plus
qu'en temps ordinaire, c'est dans une logique pour partie
militante qui consiste à donner la parole à des intellectuels partageant leur position sur le mouvement social ou
sur les grèves (et qui ont pour certains déjà exprimé leur
soutien au journal en butte à des difficultés financières).
C'est dans les médias où la définition du travail journalistique tend à proscrire l'engagement public des rédacteurs
que le traitement des grèves pose le plus de problèmes.
Pour les journaux télévisés, les journalistes s'efforcent
d'échapper à la difficulté en privilégiant « l'information »
(les revendications des grévistes, les perturbations
induites par les grèves qui intéressent « les usagers ») et les
sujets « neutres » et pratiques (la marche à pied, la loca-
tion de vélos ou le co-voiturage). L'analyse du mouvement est laissée aux émissions spéciales (où des intellectuels sont invités). Dans certaines rédactions de la presse
écrite, en revanche, le traitement journalistique d'événements aussi importants ne saurait se réduire à un simple
travail d'information. Un rédacteur en chef du *Monde*
explique ainsi qu'il est nécessaire pour le quotidien de
présenter « un certain nombre de directions et d'analyses
de recherches et d'interprétation (…) au lecteur ». Mais
ce travail d'analyse n'échoit pas aux journalistes. Le
recours à des intellectuels permet aux journalistes de
s'abstenir, ou, parfois, de s'exprimer par procuration.
Dans une rédaction divisée, confrontée à une conjoncture « opaque et complexe », il est décidé, comme le rap-
portera Edwy Plenel quelques mois plus tard[16], de ne pas
« rentrer dans le commentaire, dans le jugement » :
devant « l'imprévu, l'accident » de décembre, la priorité,

pour les journalistes du *Monde*, doit consister à « aller voir et à raconter », et le travail d'analyse est essentiellement accompli dans la page « Horizons », avec des textes signés de personnalités extérieures à la rédaction, souvent des universitaires. A *Libération*, on observe une division comparable du travail d'information et du travail d'analyse : les « points de vue » émanant de journalistes tendent à être publiés dans les pages « Rebonds » (parfois sous la forme d'articles co-signés avec un chercheur ou un enseignant).

Dans une conjoncture ou la demande d'intellectuels est plus pressante que d'ordinaire, le désarroi journalistique n'est pas sans incidence sur la médiatisation des pétitions, mais il ne suffit pas à l'expliquer. Signé par des personnalités, hauts fonctionnaires ou intellectuels, très connues de certains journalistes, parfois personnellement (comme Alain Touraine, Pierre Rosanvallon et Michel Winock, pour s'en tenir à trois universitaires très souvent interviewés dans les médias) l'appel *Réforme* ne peut pas, de toutes façons, être passé sous silence par les journalistes du *Monde*. De surcroît, il porte directement sur des enjeux figurant en très bonne place dans la hiérarchie des préoccupations journalistiques du moment : il comprend en effet une appréciation du plan Juppé, il soutient la position de Nicole Notat et met en question le Parti socialiste, dont les silences et le double jeu suscitent déjà les commentaires journalistiques.

La deuxième pétition ne peut pas non plus passer inaperçue. Elle comporte des signataires éminents (comme Pierre Bourdieu, Jacques Derrida, Pierre Vidal-Naquet…). De plus, son contenu comme son origine ne restent pas sans écho dans une rédaction dirigée par Edwy Plenel, ami de plusieurs des initiateurs et ancien rédacteur à *Rouge* (hebdomadaire de la LCR). Dans l'article

que *Le Monde* publie en dernière page le 5 décembre au
soir, la pétition est présentée, dès le premier paragraphe,
comme « une riposte » au premier appel. Cette lecture,
pourtant démentie par un fax des organisateurs dès
le lendemain, fonctionne comme un stimulus pour
plusieurs journalistes. Perçus comme comme de simples
dénégations, les démentis restent sans effet. Une journaliste explique avoir mesuré, lors de l'intervention de
Pierre Bourdieu à la gare de Lyon le 12 décembre,
qu'« une ligne de fracture très nette » apparaissait chez les
intellectuels, impression qui lui parait corroborée par
l'émission du *Cercle de Minuit* sur France 2 mettant face-
à-face signataires de l'une et l'autre liste. Elle en fait part à
son chef de service (« c'est moi qui ai été le voir, qui lui ai
dit "j'ai l'impression qu'il y a une guerre des listes" ») qui
lui demande « un papier » et tente d'arracher les pétitions
des intellectuels à un service concurrent. Plusieurs mois
après, la journaliste juge qu'« il y a des trucs qu'on n'a pas
bien senti [au journal], mais ça, on a bien senti qu'il y
avait un espèce de réveil des intellectuels ». Edwy Plenel,
lorsqu'il est interrogé en 1996 sur ce « réveil des intellectuels » (« dans quelle mesure [ce réveil] a-t-il interrogé le
journaliste qu'il est ? »), précise immédiatement : « nous
avons été les premiers à annoncer le texte d'*Esprit*, puis
celui de Pierre Bourdieu ».

Plus généralement, la médiatisation des listes doit
beaucoup à la concurrence au sein du champ journalistique. A l'article paru en dernière page du *Monde*
le 5 décembre au soir répond, le 7, une double page
« L'Événement » dans *Libération* consacrée aux pétitions.
Une semaine plus tard, les deux quotidiens tentent l'un
et l'autre de publier en exclusivité l'intervention de
Pierre Bourdieu à la gare de Lyon. Lorsque le thème de
la « guerre des listes » est lancé, trois hebdomadaires

politiques vont successivement le reprendre : *Le Nouvel Observateur, L'Événement du Jeudi* puis *Le Point* (cf. documents page 85), et *Paris-Match*. Ce qui se diffuse d'un média à l'autre, toujours en partie sous l'effet de la concurrence, ce n'est pas seulement un bon « sujet » journalistique, mais aussi une manière de le présenter. Si l'article du *Monde* présente la liste *Grève* comme une « riposte » à la liste *Réforme*, la double page de *Libération*, par sa maquette, le titre de l'article (« Deux gauches face au mouvement social »), le dispositif mis en place (un débat entre Joël Roman, à l'origine du premier appel, et Daniel Bensaïd, philosophe, responsable de la LCR, signataire du second), impose la même grille d'analyse.

Les journalistes invitent également certains pétitionnaires à s'exprimer. Le choix d'un signataire pour représenter, dans une interview ou dans un débat radiophonique ou télévisé, l'une des listes, échappe aux organisateurs de la pétition qui soupçonnent parfois le représentant choisi par les médias de détourner à son profit une entreprise qu'il n'a pas lancée. Les journalistes se tournent en priorité vers ceux qu'ils connaissent (de nom ou personnellement). Un intellectuel n'a quelque chance d'être invité dans les émissions télévisées sur les grèves que s'il est un « nom à incruste » (comme le dit un journaliste), à l'image d'Alain Minc ou Alain Touraine. Ces noms sont censés être connus du public, ceux qui les portent sont sans surprises (« On sait que c'est excellent », dit un journaliste à propos de l'un d'entre eux), ils font des réponses courtes et savent s'adresser au plus grand nombre. En règle générale, les intellectuels médiatiques interviennent d'ailleurs presque tous en décembre. C'est le cas notamment d'Alain Finkielkraut et Jacques Julliard, mais aussi des intellectuels qui, sans détenir de poste appointé dans les médias, y interviennent très régulière-

ment (Edgar Morin par exemple), qu'ils aient ou non
signé des pétitions. Sans doute ne pouvait-il pas en être
autrement pour tous ceux qui tiennent des chroniques
régulières dans les médias. Le cas de Bernard-Henri Lévy
est à cet égard révélateur : d'ordinaire mobilisé plutôt par
des causes internationales, il ne signe aucune pétition,
mais comme il tient une chronique hebdomadaire dans
Le Point, il se doit de s'exprimer sur les grèves et sur les
intellectuels.

La concurrence journalistique pousse aussi à solliciter
des intellectuels que l'on voit peu dans les médias, mais
qui sont très connus et que les autres (journalistes) aime-
raient avoir. Dans certains cas, la recherche d'intellectuels
très convoités pousse à donner la parole à des gens qui
n'ont pas grand chose à dire sur les grèves et que seule la
logique de la distinction journalistique consacre comme
invités pertinents. Ainsi, un professeur de science politique de nationalité américaine intervient en direct de
New York dans une émission de télévision diffusée en
première partie de soirée. Le responsable du *casting* pour
cette émission dit l'avoir invité parce que « ça fait chic ».
L'intervention d'André Comte-Sponville relève de la
même logique. Ce professeur de philosophie bénéficie
d'une notoriété médiatique assez importante qu'un succès de librairie a sensiblement renforcée. Il est sollicité
pour une interview qui paraît le 19 décembre : « le philosophe André Comte-Sponville est un de ceux qui ne
s'étaient pas exprimés jusqu'ici sur le mouvement de
grèves. Nous avons questionné sur les raisons de cette
parole différée l'auteur du *Petit Traité des grandes vertus* ».
Le terme de « *parole différée* » est suffisamment éloquent :
aux yeux de certains journalistes, les intellectuels les plus
médiatiques ne peuvent pas ne pas prendre la parole
lorsque d'autres le font. Les propos tenus par André

Pour la première fois, ils ne sont pas tous derrière les grévistes

Gauche :
la guerre des intellos

Pour ou contre Nicole Notat ? Autour de cette question, les intellectuels s'affrontent depuis le début du conflit. Bernard Guetta les a rencontrés. Surprise : les positions des deux camps sont moins éloignées qu'on ne le croit...

Une colère a suscité l'autre et, jour après jour, les intellectuels sortent de leur silence des années socialistes, rentrent en scène et s'y combattent... tout étonnés eux-mêmes de la fureur de leur réveil. Car le choc est fratricide. C'est intel... de gauche.

... garde de la Sécurité sociale, que commandaient de défendre à la fois l'honnêteté intellectuelle et le besoin de faire front avec tous ceux, Alain Juppé compris, qui s'opposent à l'ultralibéralisme.

Ils ont donc pris leur plume pour le dire en rédigé, très vite, de manière plutôt embrouillée, un texte qu'ils ont soumis à l'un des hommes clés de

la gauche intellectuelle, Pierre Rosanvallon, à la fois proche de la CFDT, directeur à l'École des Hautes Études en Sciences sociales et secrétaire général de la Fondation Saint-Simon, le grand carrefour entre dirigeants d'entreprise, intellectuels de gauche et de droite, journalistes et hauts fonctionnaires. Rosanvallon, Mongin et Roman, c'est une connivence active de pois... ... que de la « deuxième

---

LES INTELLOS REDÉCOUVRENT LE PEUPLE

Guéguerre civile chez les maîtres-penseurs »

Les grèves ont été l'occasion d'un réveil des intellectuels. « Modernistes » et « archaïques » ont polémiqué, avec une violence digne des années 70. Pas sûr, pourtant, que ce retour au premier plan soit très positif pour nos « maîtres-penseurs »

Intellectuels tempête sous les crânes

Le mouvement de grèves les a brutalement remobilisés. Mais, lorsqu'ils montent au front, c'est dans le désordre. Histoire d'une guerre tribale qui ne fait que commencer.

PAR JOSEPH MACÉ-SCARON et FRANÇOIS ARMANET

Le cas Bourdieu

Le Nouvel Observateur, 14-20/12/1995, L'Événement du jeudi, 21-27/12/1995, Le Point, 30/12/1995.

Comte-Sponville sont repris dans des revues de presse, sans doute parce que ceux qui les composent, partagent avec le journaliste qui a sollicité l'interview la conviction qu'il est pertinent de connaître l'opinion de cet intellectuel resté silencieux sur les grèves. Les médias, en sollicitant des interventions qui n'auraient sans doute pas lieu sans eux, amoindrissent l'effet que tentent de produire dans le champ politique les actions collectives d'intellectuels et tendent à produire des effets de brouillage.

Ce sont des journalistes politiques qui, pendant les grèves, s'intéressent aux intellectuels. On le voit bien au *Monde* – dont le rôle, on l'a dit, est central dans la médiatisation des listes – : la conviction qu'il se passe quelque chose d'important chez les intellectuels vient du service politique qui, dans la concurrence entre les services, capte le sujet. Tous les articles que le quotidien consacrera dès lors aux pétitions émaneront de ce service, à l'exception d'un papier en forme de bilan. Il est signé de Thomas Ferenczi qui, s'il a dirigé le service politique du *Monde*, occupe dans le champ journalistique une position à certains égards proche du champ intellectuel : ancien normalien, il écrit régulièrement dans *Le Monde des livres* et fréquente le Club Merleau-Ponty ou les colloques du *Monde* et de *France-Culture*, dans lesquels se rencontrent journalistes et intellectuels. Dans les autres médias, les articles émanent soit de journalistes politiques, soit de journalistes généralistes ou de grands reporters. Ils ne proviennent jamais des services culturels, écartés du traitement journalistique des intellectuels en décembre. Parfois, les journalistes culturels semblent s'en exclure eux-mêmes. L'un d'eux, qui travaille dans un *newsmagazine*, explique ainsi qu'ayant évité d'aller à son bureau en décembre, il n'est pas mécontent d'avoir échappé à l'article que sa hiérarchie n'aurait pas manqué de lui demander sur la « guerre des intellectuels » et, qu'en son absence, elle a confié à un journaliste politique.

C'est dire que les journalistes qui, au moment des événements, traitent du sujet, n'ont pas de compétence spécifique sur le monde intellectuel qu'ils découvrent parfois dans le feu de l'action. Une journaliste politique reconnaît elle même qu'elle a été « imprudente », peu familière de cet univers. Si les journalistes politiques sont parfois informés sur leurs prises de position politiques antérieures, ils ignorent presque tout de l'œuvre des intellectuels. On comprend alors qu'ils aient tendance à présenter la mobilisation des intellectuels sur le modèle de la vie politique : ils la lisent souvent comme une querelle de personnes et réduisent les clivages intellectuels à des oppositions strictement politiques, comme celle des deux gauches ou celle des « pro- » et des « anti-Juppé ». Culminant chez les journalistes politiques, cette perception du monde intellectuel semble dominante dans l'ensemble des médias. Une journaliste d'un quotidien national exprime sans doute assez bien la vision journalistique des intellectuels lorsqu'elle évoque le *Cercle de Minuit* qui a agi sur elle comme un « déclencheur » : « Ce qui m'avait frappé, moi, ce que j'ai toujours aimé à la télé, c'est les débats où on se frite un peu, la vraie politique, quoi, c'est vrai que ça disparaît complètement (…) A la télé, il y a eu de nouveau le retour de ça : le plateau des émissions littéraires dans les années soixante-dix, où les gens s'engueulaient, quittaient la salle, le plateau et tout ». Appréhendés par les journalistes politiques, les intellectuels ne peuvent être que des politiques de substitution, surtout lorsque, comme en décembre, les hommes politiques se gardent de prendre la parole.

A PROPOS DES « NOUVEAUX COMPAGNONS DE ROUTE »

Le 12 avril 1996, paraît dans *Le Monde des livres*
(cf. documents pages 90-91) un article consacré aux
« nouveaux compagnons de route » au sein d'une double
page révélatrice du mode d'appréhension journalistique
des intellectuels. Les deux auteurs croient imposer l'image
de l'intellectuel signataire de la pétition *Grève* comme
« compagnon de route », proche du PCF et de l'extrême-
gauche au prix d'un montage mêlant sans distinction
l'appel de soutien aux grévistes en décembre 1995,
la multiplication d'articles d'intellectuels parus dans
L'Humanité, le Congrès Marx international, ce qu'ils
appellent « les quatre appels de Pierre Bourdieu », plusieurs
brèves sur les lieux de la « pensée critique » (clubs,
revues et maisons d'édition) et, pour couronner le tout
les déclarations, fortement sollicitées, du secrétaire
national du Parti communiste. Ces « signes » mettraient
en évidence un rapprochement entre « des intellectuels
français », essentiellement ceux qui ont signé la pétition
Grève, et la « gauche communiste, écologiste ou
trotskiste ». Sous les apparences de la neutralité, les deux
journalistes (l'un, normalien et historien de formation,
très proche de François Furet cité dans la même page,
travaille pour le supplément littéraire du quotidien et
l'autre, ancienne khâgneuse passée par l'IEP de Paris, pour
le service politique, où elle est spécialiste de la « gauche
non-socialiste ») reprennent à leur compte les thèses
développées par les intellectuels hostiles à la grève et aux
intellectuels qui l'ont approuvée et défendue, plaçant ainsi
ces derniers en position d'observateurs neutres habilités à
dire la vérité du « décembre des intellectuels » : François
Furet (ancien militant du PCF, puis du PSU, ancien
président de l'EHESS et alors dirigeant de la Fondation
Saint-Simon) et Stéphane Courtois (ex-maoïste de *Vive
le Communisme*, puis de *Vive la Révolution*, devenu
démocrate vertueux) s'imposent aux journalistes dès

qu'il est question des « compagnons de route », parce qu'ils sont des historiens « spécialistes » du communisme, de ses crimes et de ses « illusions », et parce que, ayant à un titre ou à un autre partagé ces illusions, ils sont censés être les mieux placés pour les dénoncer avec toute la véhémence des repentis.

Guidés par les intérêts qu'ils poursuivent dans le champ journalistique, les journalistes sont conduits, collectivement et sans doute parfois à leur insu, à des choix partisans. Pendant les grèves, ils favorisent les intellectuels favorables au plan Juppé, et notamment les signataires de la liste *Réforme* qui interviennent davantage que ceux de l'appel *Grève* dans les quotidiens nationaux (à l'exception de *L'Humanité*), comme dans les émissions des radios publiques (France-Inter, France-Culture). A la télévision, seuls des noms figurant sur l'appel *Réforme* ont participé à des émissions de première ou deuxième partie de soirée. Diffusé à une heure tardive, *Le Cercle de Minuit* (France 2) fait exception puisque la première émission est organisée comme une confrontation entre signataires des deux listes. La composition du plateau fait apparaître une sur-représentation pour partie accidentelle (Jacques Julliard, qui devait participer, est pris dans les embouteillages) de l'appel *Grève* (représenté par Jacques Kergoat, Daniel Bensaïd, Bernard Lacroix, Henri Maler, Pierre Vidal-Naquet, Sophie Wahnich) sur la pétition *Réforme* (Rony Brauman, Olivier Mongin, Alain Touraine). Une seconde émission est organisée une semaine plus tard à la demande d'un des signataires de la pétition *Réforme* peu satisfait de la première. Elle modifie l'effet du premier *Cercle* en mettant face-à-face des signataires de l'appel *Réforme* (Alain Touraine et Jacques Julliard) contestés sur leur droite par Jean-Claude Casanova et

Le Monde, 12/4/1996.

enquête

« L'esprit de Marx, plus que la lettre »

Pour Robert Hue, secrétaire national du PCF, « le temps n'est plus où le Parti désignait les "bons" intellectuels »

« Y a-t-il selon vous, depuis quelques années, un — retour à Marx » des intellectuels français, et en sentez-vous les effets au Parti communiste ?

— A en juger par la production éditoriale, de laquelle Derrida à Daniel Bensaïd, assurément. Marx avait disparu ou bien était tenu pour mort, aulne à l'effondrement des régimes qui se sont réclamés de lui jusqu'à la caricature. Mais la « vieille taupe » de l'Histoire, comme le dit Marx lui-même, a continué à creuser ses galeries, et la chute de l'Est n'a pas rendu le capitalisme meilleur. Dire de Marx qu'il est bien vivant c'est dire qu'un Marx libéré du carcan dogmatique, lui restitue...

aux « ismes » précédés d'un nom propre – c'est aussi la NEP ! N'oublions pas, également, que les mots « socialisme » et « communisme » ont été forgés en France ; que le drapeau rouge et l'Internationale sont des réalités françaises. Pour nous, cela signifie faire réapparaître, à côté de 1917, des gens qui avaient disparu de la pensée stalinienne : Jaurès, par exemple. Cela signifie continuer avec Marx, certes, mais avec beaucoup d'autres, et le PC est pencur de tous les apports. Le beau mot de « communisme », auquel je suis pour ma part très attaché, ne saurait tout résumer. Le...

cratique y est, sans doute, mais le marxisme ne s'y réduit pas, car il contient aussi, outre le rêve et l'idéal, le combat engagé pour la transformation sociale. Cette approche de Marx est en rupture avec la théorie du « grand soir ». Pour moi, le mot « révolution » a un mouvement déterminé et concret au sein même du capitalisme, sans attendre que les conditions d'un « grand soir » soient réunies. Si l'histoire de ce siècle nous a d'ailleurs appris quelque chose sur le capitalisme, c'est la solidité...

société. Nous nous opposons au pouvoir de l'argent, à tout ce qui fait barrage à l'épanouissement de la personne et de la nature humaines.

— A quels intellectuels contemporains le Parti communiste peut-il aujourd'hui se référer ?

— Je ne veux pas citer d'intellectuels qui seraient des références... Desquels, alors, apprécieriez-vous tout particulièrement le « compagnonnage »...

Les lieux de la pensée critique

Éditeurs et journalistes, étudiants en sociologie et professeurs d'histoire ou de philosophie : le renouveau passe par des clubs, des revues et des éditeurs où souvent les signatures et les thèmes, en feux croisés, se retrouvent

● **LES CLUBS :**

● **Le Spras :** Société pour la résistance à l'air du temps. Créé en 1992, ce petit « groupe de réflexion non dogmatique » regroupe intellectuels (Didier Maler, Daniel Bensaïd), journalistes, éditeurs, qui se sont retrouvés sur les enjeux de société, cherchent dans « la guerre du Golfe, un espace de réflexion pour se débarrasser des enjeux de pouvoir ».

● **Le Ressy (recherches, société, syndicalisme) :** présidé par le sociologue Jacques Kergoat, organisateur des états généraux du mouvement social, cette association — créée en 1994 autour, notamment des sociologues comme Linhart et Patrick Champagne et du politologue Pierre Cours-Salies — se veut un « lieu de débats pour une gauche critique et non-réformiste. »

● **Espaces Marx :** dont le nouveau nom de l'Institut de recherches marxistes (IRM). En décembre 1995, cette « institution » communiste a voulu son patronyme et préfère Marx à « marxisme » n'est plus la théorie du parti », expliquait sa directrice, Françette Lazard, membre du bureau national du PCF, et son secrétaire. Patrice Cohen-Seat a ouvert la saison de direction en ouvrant à catherine Samary et Georges Labica (De Marx au marxisme, 1986), Comme l'IRM, Espaces Marx tient ses « journées de l'actualité.

● **Le club Merleau-Ponty :** créé en 1995, ce club de réflexion sociale et politique se regroupe des chercheurs journalistes (IHM). Ils se définissent, refusé « à la fois le libéralisme et le stalinisme », se place délibérément « en dehors du débat traditionnel Serre-Aron », explique son président, le sociologue Yves Corcuff. Ses membres souhaitent aussi « sortir des jeux organisationnels de la gauche critique », juger ainsi « les débats intellectuels en leur sein propre ».

● **LES REVUES :**

● **Actuel Marx :** cette revue internationale, créée en 1987 par Jacques Bidet et Jacques Texier, est publiée aux PUF avec le concours de l'Université Paris-X et du CNRS. La revue, également tournée en espagnol, posséde le premier tome des Actes du Congrès Marx Interna...

nal. Au comité de rédaction figurent le philosophe Etienne Balibar (La Philosophie de Marx, La Découverte, 1993), Georges Labica, Michaël Löwy, spécialiste des recherches au croisement des traditions et du messianisme révolutionnaires.

● **Revue M (Mensuel, marxisme, mouvement) :** son rédacteur en chef, le journaliste Gilbert Wasserman, est aussi l'un des responsables de la Convention pour une alternative progressiste (CAP). Au comité de rédaction du mensuel, on trouve des enseignants de Paris-VIII (Denis Berger, mathématicien, membre de l'ancien Pluto-Sarcey), des ex-communistes du « troisième gauche » comme Anicet Le Pors, des journalistes comme Alain Uzel, Jacqueline Rauet et Sami Naïr, le journaliste Maurice Najman.

● **Lignes :** revue « d'inspiration littéraire » créée en 1988 par le philosophe de Georges Bataille, Michel Surya, l'écrivain et chorégraphe Daniel Dobbels, et l'universitaire et romancière Jean Marmande. Lignes, éditée par Eric Hazan, s'est récemment en recherche de la philosophie et de la pensée politique, du côté de l'extrême gauche, Jacqueline Risset et Sami Naïr y signent assidûment.

● **Futur antérieur :** cette revue bimestrielle dirigée par Toni Negri (Paris-VIII), fondée en 1990 à l'Harmattan depuis 1989 (Denis Berger, Tony Negri, est celle d'une « gauche critique » qui, « même à gauche, s'effondrement du socialisme réel », souhaite analyser « les perspectives d'évolution de la société »...

« réagit contre la fascination sur une grande partie des intellectuels par les médias ».

● **Écologie politique** (anciennement Écologie politique) : fondée en 1992, dirigée par Jean-Paul Deléage et Frédéric Brun. Ce trimestriel de « recherche théorique » insiste sur « le caractère inséparable de la crise écologique et sociale ».

● **Politis**, la revue : créée à l'hiver 1992, soutenue à l'été 1995, la revue du sociologue Jacques Kergoat (LCR) a été pendant deux ans le carrefour d'une pensée – politique, syndicale, associative – de la gauche dite « alternative » qui pourrait ressortir plus sûrement en ce moment sous un même titre en partenariat avec Témoignage chrétien.

● **La Pensée :** fondée en 1939 sous la direction d'Henri Wallon et de Georges Cogniot, dirigée par Antoine Casanova, c'est la revue de l'ex-Institut de recherches marxistes. Le numéro 303 (numéro d'Hautjour/mai), avec des articles de Jacques Chambaz (Patience de l'économie chez Paul Boccara, 1992) et de Paul Boccara, L'économiste des Cahiers d'histoire et des Cahiers d'histoire et de recherches internationales.

● **Regards :** mensuel communiste créé en avril 1995. Son directeur, Henri Malberg, et la directrice ou la rédaction, Nicole Borvo, sont tous deux membres du comité national du PCF. Dans le comité de parrainage, on trouve le sociologue Alain Bihr, historien et ancien dirigeant syndicaliste.

● **Critique communiste :** revue trimestrielle (ex-LCR), animée par Daniel Bensaïd. Le numéro 138, paru à l'été 1994, était consacré à Marx et les intellectuels.

● **LES MAISONS D'ÉDITION :**

● **Le Temps des cerises :** fondée en 1993 par une vingtaine d'écrivains proches des Comités-Lénine des Pervanch, Francis Combes, Gilles Perrault, Raymond Jean, Lucien Sève, le Temps des cerises est une maison d'édition propulsée « au marxisme survivant sa place à la campagne instigatrice de la campagne » dite classique du marxisme et du ... communisme. Le Manifeste du parti communiste ou Le Droit à la paresse de Paul Lafargue. C'est chez cet éditeur que, l'an dernier, en 1994, l'ancien communiste Roger Garaudy, aujourd'hui converti au négationnisme, a publié une étude révisionniste, Souvenir-toi, brève histoire d'Israël.

● **L'Union sociétaire de la passion :** au catalogue 1996, on trouve des inédits, par exemple L'œil du discours, possible au sujet des crises d'une danse des textes, réédité... cités, chaos, l'histoire, de Daniel Bensaïd. Chez ces rééditions, l'éditeur valorise le fascisme, écrits sur l'idéologie 1929-1933, de Léon Trotsky, La Dialectique du concret (un texte marxiste de Karel Kosik), Girondins à Montsignle de 1967, Girondins et Montagnards, de l'historien communiste Albert Mathiez.

● **Les Éditions de l'Atelier :** Les **Éditions ouvrières**, à l'origine proches de la JOC, ils ont publié deux livres du communisme « critique » sur les intellectuels...

Les quatre appels de Pierre Bourdieu

En quatre mois, quatre textes ont recueilli la signature du sociologue Pierre Bourdieu. L'auteur de La Misère du monde n'en est pas toujours l'instigateur, même si sa célébrité et sa caution morale s'avèrent aujourd'hui nécessaires pour rallier les signataires. En décembre, le sociologue s'engage du côté des grévistes. Deux mois plus tard, le 9 février, Pierre Bourdieu s'associe à un « appel pour des États généraux du mouvement social ». Après une année passée à « la discussion générale face aux « défis posés par la mondialisation », il tiendra le 24 novembre 1996, puis dans Le Monde, la grève conductible des cheminots de 24 novembre 1995. Le 1er mars, dans Le Monde, Pierre Bourdieu signe un texte « pour une reconnaissance légale et sociale du couple homosexuel ». Enfin, on retrouve dans l'appel « Solidarité étrangers », lancé le 29 mars dans un texte pour abattre « désobéissance civile » aux lois Pasqua, le nom du sociologue, par ailleurs président du MRAP ou de la Ligue aux intellectuels algériens (Cisia).

Au fil des appels se dessine ainsi une famille de disciples protestataires : enseignants de Paris-VIII, responsables du MRAP ou de la Ligue des droits de l'homme. Une famille que l'on retrouve dans les partis de la gauche « critique » : LCR, Gauche socialiste – Ligue communiste révolutionnaire (CAP), Verts – à minima...

Les nouveaux
« compagnons de route » ?

O n croyait le modèle enterré. Au milieu des années 50, tout laissait croire que la traditionnelle figure de l'« intellectuel » compagnon de route », proche du Parti communiste et de l'extrême gauche et dont Jean-Paul Sartre avait été l'ultime et brillante incarnation, appartenait définitivement au passé. L'appel de soutien aux grévistes signé par Pierre Bourdieu, au milieu des manifestations de décembre 1995 contre le plan Juppé de réforme de la Sécurité sociale, l'accueil tumultueux du soutien apporté par des intellectuels réservé aux intellectuels que je qualifierai sommairement d'humanité, le redécouverte du marxisme depuis quelques années...

Avec la redécouverte du marxisme et le mouvement social de décembre 1995, de nouveaux liens d'« amitié » — comme dit « l'Humanité » — se tissent entre la gauche communiste, écologiste ou trotskiste et des intellectuels français

Le Monde, 12/4/1996.

Alain-Gérard Slama (éditorialistes à *L'Express* pour l'un et au *Figaro* pour l'autre) et sur leur gauche par la seule Catherine Mills (universitaire communiste).

La liste *Réforme* qui prend position sur des points immédiatement liés à la conjoncture politique et témoigne d'une posture proche de celle de l'expertise est mieux ajustée à une demande journalistique avide, dans une période de crise, de dégager des « solutions ». Elle concentre en outre plus de capital médiatique, et donc plus de « noms à incruste », que l'appel *Grève*. Les signataires les plus connus mettent d'ailleurs nettement moins d'empressement à répondre aux sollicitations journalistiques. Ainsi, tandis que Pierre Bourdieu (ou Christophe Charle, également sollicité) refusent toutes les invitations, les responsables d'*Esprit* (sans parler des signataires les plus médiatiques de l'appel *Réforme*, omniprésents dans les médias) se montrent en décembre moins rétifs et assez organisés : « On pouvait pas tout refuser. On en a refusé beaucoup je dois dire, parce que nous aussi on a un lectorat qui n'aime pas trop nous voir (…) Moi et Joël Roman, on s'est un peu partagé le travail ».

6

Déterminismes cachés et libertés proclamées

Par delà les aléas de la mobilisation, le jeu des affinités et des affiliations s'est traduit par la cristallisation de groupes dont la composition détermine pour une large part l'impact intellectuel, politique et médiatique. L'importance effective d'une pétition dépend, autant que du texte lui-même, de l'ensemble des ressources sociales qu'elle concentre. En s'en tenant toujours aux deux principales pétitions de décembre, on peut distinguer deux grands systèmes de ressources, qui opposent à un pôle des agents relativement plus dotés en capital médiatique, politique et bureaucratique (*Réforme*) et à l'autre pôle des agents relativement plus dotés en capital intellectuel et scientifique (*Grève*). Chacune des deux listes repose sur une formule particulière de composition de ces ressources, addition sociale qui n'est pas réductible à une simple somme arithmétique : les variations qui s'observent à l'intérieur de chacune des pétitions interdisent de s'en tenir à une qualification globale et simple. Au sein de l'appel *Réforme*, le pôle du pouvoir économique et politique se distingue du pôle intellectuel et médiatique. Au sein de l'appel *Grève*, une opposition s'établit entre le pôle militant et le pôle scientifique.

Les deux listes se caractérisent l'une et l'autre par la présence simultanée de signataires très inégalement connus : on a vu comment se combinaient « logique du nombre » et « logique du nom » dans l'agrégation des signatures. On peut ainsi distinguer les deux formes opposées de notoriété qui correspondent aux formules génératrices des deux listes : l'une repose plutôt sur l'occupation de positions de pouvoir économique et politique, l'autre plutôt sur la réalisation d'une œuvre intellectuelle, artistique ou scientifique. La notoriété politique, bureaucratique ou économique se mesure au niveau des postes occupés, mais également aux distinctions honorifiques (comme la légion d'honneur), qui marquent avant tout la reconnaissance de l'appartenance ou de la proximité aux fractions dirigeantes des classes dominantes (patronat, haute fonction publique, responsables politiques nationaux...). Elle pourrait se mesurer aussi aux biens possédés, aux appartenances sociales et à l'univers des relations sociales (clubs, organisations diverses). La notoriété intellectuelle se mesure d'abord aux positions dans l'Université et la recherche, aux distinctions scientifiques et intellectuelles (médailles du CNRS, prix littéraires, traductions en langues étrangères, fréquences des citations, etc.), au nombre d'ouvrages publiés dans de grandes maisons d'édition, à la direction de revues, etc. Chaque liste de pétitionnaires se définit ainsi par l'ensemble des positions qu'elle réunit : elle a ses propres principes internes de différenciation, et même de hiérarchisation, souvent ignorés ou relégués au second plan par les commentaires médiatiques ou politiques. La notoriété proprement médiatique renvoie au nombre d'apparitions à la télévision, à la radio ou dans la presse, soit comme auteur d'articles soit comme nom souvent cité par les journalistes. Ceux-ci pensent d'autant plus facilement aux intellectuels qui ont une importante notoriété médiatique qu'ils les rencontrent fréquemment ou qu'ils lisent souvent des comptes rendus de leurs ouvrages, mais aussi qu'ils pensent qu'ils sont « visiblement très écoutés par le pouvoir » pour reprendre l'expression d'un journaliste à propos de l'économiste Jean-Paul Fitoussi. Dans la conjoncture de lutte pour l'imposition d'une certaine vision des événements, tout nom médiatique devient un enjeu largement plus important que la seule quantité de signatures anonymes.

L'importance quantitative des interventions d'intellectuels dans les médias doit être rapportée au capital symbolique spécifique qu'ils détiennent dans le champ intellectuel. Les graphiques qui suivent (cf. pages 96-97) positionnent les intellectuels sur deux axes : un axe de capital scientifique « interne », ou de notoriété scientifique (mesuré par le nombre de citations dans le *Social Science Citation Index* en 1995) et un axe de capital symbolique médiatique (mesuré par le nombre d'interventions dans le journal *Le Monde* en 1994 et 1995 – graphique 1 – et le nombre de passages dans les émissions de télévision de TF1, France2 et France3 en 1994 et 1995 – graphique 2 –; si l'on avait retenu seulement les articles – par opposition aux entretiens et aux prises de position, souvent collectives, dans la page « Horizon », et si l'on avait pu relever de manière exhaustive les passages dans d'autres chaînes de télévision, notamment privées, telles LCI, les écarts auraient été encore plus marqués sur les deux axes). Les signataires de l'appel *Réforme* apparaissent ainsi largement sur-représentés au pôle médiatique.

En découvrant une liste de noms, le lecteur d'une pétition se réfère d'abord à des classements spontanés (« gauchistes », « cathos », « experts », etc.). Mais ces catégories expriment surtout la relation qui existe entre sa propre position et l'ensemble des propriétés objectives des signataires ou, plus précisément, le point de vue qui le porte à privilégier telle ou telle d'entre elles. Une analyse statistique permet seule de surmonter ce biais, en rappelant

Notoriété scientifique et notoriété médiatique *(Le Monde)*

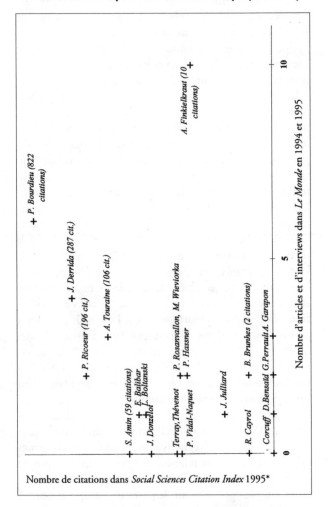

* Pour améliorer la lisibilité du graphique, on a adopté, pour le nombre de citations dans le SSCI, une échelle logarithmique et on a assimilé les

Notoriété scientifique et notoriété médiatique (la télévision)

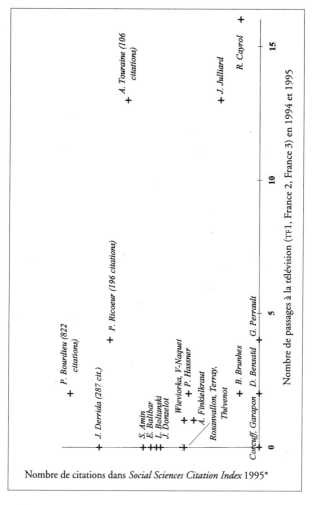

Nombre de passages à la télévision (TF1, France 2, France 3) en 1994 et 1995

Nombre de citations dans *Social Sciences Citation Index* 1995*

intellectuels qui n'y font l'objet d'aucune citation à ceux qui y sont cités une seule fois.

certaines des caractéristiques des signataires de chaque
pétition qui ont toutes les chances d'être ignorées ou de
passer inaperçues. Une première étude fait apparaître le
caractère socialement dominé de la pétition *Grève*, constituée à la fois de plus d'universitaires (maîtres de conférences, professeurs), de chercheurs (CNRS, INED, etc.), de
provinciaux, de femmes (deux fois plus), et de moins de
hauts fonctionnaires, cadres supérieurs ou professions
libérales. Mais on peut affiner et spécifier encore la
démonstration, en se concentrant ici sur les 160 premiers
signataires des deux pétitions[17]. La liste *Réforme* qui est
nettement plus tournée vers le pouvoir administratif et
économique, est le fait, comme le dit le texte, d'« intellectuels », de « responsables » et d'« experts » (dont une
bonne proportion occupent deux positions ou davantage
dans des secteurs distincts) et elle concentre trois fois plus
d'individus présents dans le *Who's who* que la liste *Grève*
(qui en comporte néanmoins quelques-uns). La première
liste *Grève* est plus universitaire et, en un sens, plus militante : elle comprend des hommes politiques et surtout
des militants ou des adhérents notoires de partis, plus que
des experts, des conseillers. Parmi les seuls universitaires,
Réforme recrute ses « célébrités » (au sens associé à la présence dans le *Who's who*) beaucoup plus nettement chez
les économistes et, à un moindre degré, les historiens,
tandis que *Grève* le fait principalement parmi les chercheurs en sciences sociales. La pétition *Réforme* est plus
nettement inscrite dans l'univers des médias (avec des
éditorialistes et des chroniqueurs).

Les « célébrités » de l'une et de l'autre pétition (pré-
sentes dans le *Who's who*) s'opposent globalement sous
le rapport du capital économique tel que la localisation
de la résidence personnelle permet de l'approcher (en
dehors de la profession) : les signataires *Réforme* sont plus

souvent parisiens et surtout habitent plus souvent les arrondissements les plus bourgeois (7e, 8e, 16e et 15e), mais, inversement, ils doivent relativement moins souvent à leur œuvre leur présence dans l'annuaire. A âge moyen proche, ils ont écrit deux fois moins d'ouvrages que les signataires *Grève*. Pour résumer ces différentes données, on peut dire que s'opposent, aux deux extrémités d'un *continuum* formé par l'ensemble des signataires, les universitaires (normaliens ou agrégés du secondaire) et les hauts fonctionnaires ou chefs d'entreprise (polytechniciens et énarques). Au pôle intellectuel, les biographés ont écrit plus de dix ouvrages, mentionnent des titres ou des distinctions scientifiques et littéraires. A l'autre pôle, ils n'ont pas écrit d'ouvrages et mentionnent plus fréquemment la légion d'honneur. En termes d'appartenance disciplinaire, on retrouve ainsi au premier pôle les lettres et sciences humaines, au deuxième, l'économie, le droit et une partie des sciences politiques. Pétition *Grève* et pétition *Réforme* n'ont donc été que la cristallisation d'une structure sous-jacente déjà mise en évidence par la sociologie du champ universitaire[18].

A cette première opposition s'en ajoutent d'autres, internes à chacune des deux listes qui constituent ainsi « deux systèmes de ressources ». Du côté de la liste *Grève* se distinguent deux fractions, une « scientifique » et une « militante ». A ceux qui cumulent tous les signes de notoriété scientifique et intellectuelle, comme Pierre Bourdieu ou Jacques Derrida, s'opposent ceux dont la trajectoire est marquée par un investissement fort dans une organisation politique et qui lui doivent une notoriété comme « intellectuel de gauche ». Plus souvent issus des classes populaires, leur trajectoire se rapproche du modèle de la promotion républicaine par l'École laïque. Ce sont par exemple Lucien Sève, normalien philosophe, ou encore Pierre Juquin, normalien agrégé d'allemand, dont les trajectoires d'intellectuels communistes sont assez typiques de ce profil méritocratique.

Dans le cas de la liste *Réforme*, une analyse statistique plus détaillée fait apparaître au moins trois familles. On peut d'abord distinguer les polytechniciens et conseillers techniques d'une part, et les énarques et technocrates d'autre part. Les premiers apparaissent, tel Bernard Brunhes, administrateur de l'INSEE devenu consultant, comme des « conseillers du Prince » qui fondent leur position d'expert sur un capital de type scientifique et technique. Les autres sont plutôt des « décideurs » au sens technocratique du terme, comme Denis Olivennes, énarque, ancien conseiller technique de Laurent Fabius, puis conseiller du président d'Air-France, Christian Blanc. Ces deux sous-groupes ont donc partie liée avec le passage de la gauche au pouvoir dans les années 1980, mais, pour les plus « techniques », à des niveaux de responsabilité moins élevés. Les membres d'un troisième sous-groupe se distinguent par un très fort capital médiatique. Ils s'opposent aux deux fractions précédentes par leur appartenance plus marquée au champ intellectuel : auteurs de nombreux ouvrages, plus souvent universitaires, dans certains cas normaliens agrégés, ils ont toutefois pour particularité d'associer d'autres activités à ces fonctions proprement intellectuelles. On retrouve ici par exemple Jacques Julliard, Alain Touraine, Pierre Rosanvallon. Qu'ils soient chroniqueurs dans un hebdomadaire, membres de diverses commissions officielles, ou encore animateurs de clubs ou d'associations de décideurs et de responsables, ils sont à la fois moins exclusivement intellectuels que les « intellectuels » de la liste *Grève* et plus bourgeois que les plus politiques de cette même liste. Cette position charnière semble les vouer à devenir des porte-parole médiatiques de cette « deuxième gauche » dont les deux autres fractions sont les acteurs « de terrain ».

ENTRE SAVOIRS ET POUVOIRS : LA RÉPUBLIQUE DU CENTRE

Permanent syndical (il fut responsable des études économiques à la CFDT de 1969 à 1973), homme de revue (fondateur et rédacteur en chef de *CFDT aujourd'hui* de 1973 à 1977, un des fondateurs de *Faire* en 1975), militant dans des organisations et syndicats étudiants (à la JEC, à l'UGE), militant politique (membre du PSU puis du PS), chercheur (« directeur de recherche » à l'Université Paris IX-Dauphine), sociologue et historien du politique, voire économiste (cf. les quatrièmes de couverture de ses ouvrages et ses séminaires), enseignant (maître de conférences à l'EHESS en 1984, puis directeur d'études en 1989), l'ensemble de ces identités ont pu être prêtées successivement ou simultanément à Pierre Rosanvallon. Cette énumération, si elle suggère le cumul de positions (souvent dominantes dans leur ordre : par exemple, quand il est militant syndical ou politique, il est plutôt responsable – étudiant –, permanent – à la CFDT – ou conseiller des dirigeants que « militant de base ») dans différents univers sociaux, vise le plus souvent à mettre en valeur une « personnalité » qui se « distingue par un itinéraire original » (le dernier exemple en date de cet usage de la biographie étant fourni en 1996 par la notice biographique du *Dictionnaire des intellectuels français*). Mais cette énumération peut aussi contribuer à disqualifier ses prétentions. Pierre Rosanvallon risque ainsi d'apparaître comme trop « intellectuel » pour certains militants de la CFDT critiquant par exemple les relations entre intellectuels et Commission exécutive, leur éloignement des préoccupations du « terrain ». A l'inverse, il peut être perçu comme trop « politique », jusque dans le choix de ses objets tels qu'ils apparaissent au gré de ses publications (« l'autogestion », « la démocratie », « l'État ») ou trop proche du pouvoir (« l'idéologue de la deuxième gauche », le secrétaire général de la Fondation Saint-Simon), par les intellectuels les plus autonomes. Parce que, pour continuer à exister socialement, il a à se défendre de ces objectivations partielles et intéressées provenant de deux univers distincts mais en concurrence pour la production du discours légitime sur le monde social, et parce que le modèle du déroulement linéaire et de l'unité d'une vie est celui qui prévaut le plus généralement dans les biographies (et qu'il s'impose à lui), Pierre Rosanvallon – dans le principal « témoignage » public qu'il ait livré à ce jour[19] – construit le récit d'une évolution, sans à-coup ni contradictions, qui le mène de HEC (dont il sort en 1969) et de la CFDT (permanent, il y est responsable des études économiques de 1969 à 1973), à une position de directeur d'études à l'École des hautes études en sciences sociales, proposant un séminaire de « philosophie et sociologie du politique » consacré (en 1993-94) « à une analyse comparative de la transformation des modalités de la représentation politique à la fin du XIXe siècle ». Si ses engagements politiques, ses activités militantes, son travail de permanent dans une organisation syndicale peuvent difficilement passer, tels quels, pour des activités intellectuelles, ils peuvent être transmués en intérêt pour les *idées* politiques, en fréquentation des intellectuels, et finalement en intérêt pour la manière dont ces idées sont traitées par des disciplines canoniques : la philosophie politique, la science politique. Relativement peu présent à la télévision, il représente plutôt la figure du « réformateur », homme de commission, ou « intellectuel de proposition » (selon ses propres termes).

Les économistes occupent une position stratégique, dans la mesure où ils sont porteurs d'une forme parti-

culière d'autorité leur permettant de s'exprimer sur la
« sécurité sociale » ou les conjonctures au nom de leur
compétence spécifique (la « compétence économique »).
Avoir des économistes avec soi est donc un enjeu. Ils
sont, au moins dans certains espaces, garants de la « rationalité », de la « compétence », bref du « sérieux » des pétitions elles-mêmes. Mais la référence à la discipline économique renvoie à des activités et des trajectoires
professionnelles très diverses. La liste *Réforme* comme la
liste *Grève* regroupent des économistes universitaires, et
aussi des administrateurs de l'INSEE versés, à des degrés
divers, dans la discipline économique. Mais la première
comprend, en plus, des économistes issus du monde du
conseil, de la haute fonction publique et, bien évidemment, des « experts économiques » de la CFDT. Plus nombreux, les économistes de la liste *Réforme* figurent en
grande majorité dans le W*ho's who*, ce qui n'est le cas
d'aucun économiste de l'autre liste ; ils sont plus souvent
passés par la direction de la Prévision, la direction générale de l'INSEE, le commissariat général au Plan ou la
Banque de France. Ils ont également plus souvent fré-
quenté les cabinets ministériels des principaux maîtres
d'œuvre des politiques économiques des années 1980
(Mitterrand, Delors, Rocard, Bérégovoy). Les consultants
présents sur cette liste, tels Guy Aznar ou Bernard
Brunhes, ont pour particularité d'avoir également des
liens très forts avec cet univers politique : « de gauche »,
ils sont liés à des partis politiques appartenant à la
« majorité présidentielle » des années 1980. Une autre
fraction est formée de spécialistes en macroéconomie
théorique ou en économétrie au sein de l'Université ou
dans la recherche publique : ils sont dotés, pour au moins
deux d'entre eux, Daniel Cohen et Jean-Paul Fitoussi,
d'une certaine notoriété internationale et d'un fort capital

politique. D'autres enfin, comme Bernard Eme, Jean-Louis Laville ou Guy Roustang, chercheurs ou universitaires qui prendront ensuite des positions plus radicales, se réclament d'une « économie solidaire » héritée du catholicisme social : parmi eux figurent des « socioéconomistes » issus du mouvement autogestionnaire reconvertis dans la recherche en entreprise, tout particulièrement dans le secteur des associations dites « intermédiaires » ou les entreprises d'insertion.

Les économistes de la liste *Grève* (comme d'ailleurs les signataires de l'appel lancé parallèlement par l'économiste communiste Catherine Mills) sont dans leur grande majorité des universitaires ou des chercheurs d'organismes publics qui sont ou ont été fortement engagés dans le champ politique et syndical au sein d'organisations usuellement qualifiées de « marxistes » : le PCF, la CGT, la LCR, voire la Gauche prolétarienne dans les années 1965-75. Mais ce qui définit aujourd'hui leur commune posture politico-intellectuelle, est, beaucoup plus, la participation à des revues, des colloques et des associations visant à redéfinir la « gauche critique », le « marxisme », ou encore le « rapport à Marx ». Participant de son pôle le plus militant, ils ne sont pas représentatifs de l'ensemble des signataires de la liste *Grève*.

7

Les luttes de l'après-décembre

On retrouve, parmi les économistes de la liste *Réforme*, un ensemble de promoteurs de la « réduction du temps de travail ». Mais sur cette question, ils ont des positions diverses, et assez nettement distinctes de celles de la plupart des économistes signataires de l'autre pétition. Beaucoup d'entre eux fondent la nécessité d'une réduction du temps de travail sur le constat de l'épuisement de la société salariale, voire sur la perspective, parfois annoncée de façon prophétique, d'un grand changement de civilisation résultant de la « fin du travail ». Certains se sont ainsi faits les promoteurs de la réduction du temps de travail à travers l'action bureaucratique ou le conseil aux entreprises, en insistant sur la nécessité pour les salariés à statut de faire des sacrifices en matière de revenus et en valorisant les expériences locales, partielles, voire une certaine souplesse et l'aménagement du travail (on est proche ici du thème de la « flexibilité »). D'aucuns ont vu dans la loi de Robien l'expression d'une véritable politique incitative en matière de réduction du temps de travail. Les signataires de l'appel *Grève*, qui en font plutôt un thème de mobilisation dans des organisations politiques ou syndicales plus radicales, insistent, au contraire, sur l'impératif de maintenir, voire d'augmenter, le revenu des salariés. Les premiers sont plus proches de la thématique du « partage », inspirée parfois directement et explicitement du catholicisme social (comme dans la revue *Partage*), là où les seconds font de la réduction du temps de travail un instrument de mobilisation remettant en

cause de façon frontale le partage actuel de la valeur ajou-
tée et plus largement la logique du système économique
(ainsi du mouvement *AC!*). Depuis décembre, les uns et
les autres n'ont cessé d'intervenir sur le sujet. Guy Aznar,
Bernard Eme, Xavier Gaullier, Jean-Louis Laville, Daniel
Mothé, Maurice Pagat, Bernard Perret, Guy Roustang,
sont ainsi parmi les 35 premiers signataires d'un appel
qui se prononce « pour la constitution d'un réseau européen de résistance des intellectuels, des responsables
socio-économiques et des politiques à la montée du chômage et à la dogmatique du laissez-faire » lancé le 15 juin
1996 aux côtés de la *Revue du MAUSS* et de l'équipe de
Transversales, qui promeut le partage du travail, l'économie solidaire et un revenu minimum inconditionnel.

Toutes les controverses déjà vives autour du temps de
travail se sont accentuées après décembre dans le champ
syndicalo-politique. Les positions de la direction de la
CFDT semblent trouver un débouché, dès le début de
l'année 1996, dans le renouveau officiel de la problématique de la réduction du temps de travail, puis dans la
naissance de la loi de Robien, mise en pratique par
Edmond Maire, ancien secrétaire général de la CFDT, au
sein de l'entreprise qu'il dirige (Villages-Vacances-
Famille). Les réformateurs doivent faire face à une résistance très forte du CNPF et de franges importantes du
patronat. Michel Rocard intervient dans le débat en proposant un système de réduction des cotisations sociales
salariées sur les 32 premières heures de travail hebdomadaire. Les dirigeants des « principales » organisations de
gauche – PS, PCF – proposent surtout que l'on préserve le
pouvoir d'achat des salariés et se distinguent par une
conception plus ou moins centralisée et graduelle du passage aux 35 heures, voire aux 32 heures. Les partis de
gauche qui l'emportent aux élections de 1997 s'accordent

sur le thème d'une « loi-cadre » sur les 35 heures, mais avec des positions de fond diverses quant au rythme et aux modalités. Économistes et sociologues sont très présents dans les luttes autour de ces projets.

Décembre a marqué, plus largement, le début d'un ensemble de controverses qui font système et ne peuvent être réduites à des réponses aux sollicitations des technocrates, comme la question du « déficit de la Sécurité sociale ». Dans ce système, la question du « travail » et des « travailleurs » est centrale : on a vu s'opposer en décembre des conceptions divergentes de l'existence et de la place des groupes sociaux dans le monde contemporain, qui s'expriment dans des prises de position elles-mêmes distinctes sur des revendications telles que la réduction du temps de travail et sur le rôle de l'État social.

L'ensemble du champ intellectuel est traversé par les luttes de décembre. En 1996, contre la « pensée Tietmeyer » (du nom du président de la Banque centrale allemande) qui, attentive aux seuls équilibres monétaires et aux marchés financiers, contribue méthodiquement à détruire les acquis sociaux, Pierre Bourdieu propose que les intellectuels participent à la construction d'un État social européen. Reclassements et recompositions se multiplient. Alain Touraine, par exemple, participe au « rassemblement intergalactique contre le néo-libéralisme » organisé au Chiapas par le sous-commandant Marcos et les « zapatistes », comme pour exorciser l'image donnée en décembre : celle d'un théoricien du mouvement social désormais dépassé, dans son propre pays, par le mouvement social. Autour de lui, les divergences s'accusent, par exemple entre les sociologues Michel Wieviorka, qui persiste peu ou prou dans sa condamnation du mouvement, et Farhad Khosrokhavar, qui y voit une source de renouveau à l'échelle européenne. Dans *Le grand refus* (Fayard, 1996) les sociologues regroupés autour d'Alain Touraine ont ainsi tenté, de façon assez diverse, de rendre compte d'un mouvement que certains d'entre eux n'ont depuis lors cessé de fustiger pour son archaïsme, alors que d'autres y voyaient l'expression d'un certain renouveau : leur précipitation à prendre parti semble à la mesure de leur désarroi intellectuel et politique.

Dès la mi-année 1996, la question des « sans papiers » anime les débats : le 9 juin 1996, plusieurs centaines d'intellectuels déclarent « offrir l'hospitalité à quelqu'un du groupe de Saint-Ambroise et lui proposer [notre] aide ou l'héberger sous [notre] toit ». En février 1997, le projet de loi Debré sur l'immigration suscite la réaction de cinéastes qui appellent à la « désobéissance civique ». Les formations politiques sont prises de court par une « vague pétitionnaire » de grande ampleur.

Certains intellectuels qui, apparemment éloignés, s'étaient rencontrés en décembre recommencent à diverger par la suite : ainsi, Emmanuel Todd, apparu alors comme l'un des prophètes (médiatiques) du mouvement à cause de son soutien antérieur à un candidat sensible à la « fracture sociale », sera en porte-à-faux lors de la pétition contre la loi Debré en février 1997, et annoncera avec d'autres, à titre personnel, son vote pour le PCF aux élections, choix isolé quoique fort médiatisé. Inversement, des personnes opposées lors de la controverse de décembre se rapprocheront sur ce sujet : février 1997 sera même, pour une partie des signataires de l'appel *Réforme*, l'occasion d'un reclassement (en forme de repentir) aux côtés du mouvement social, ce qui explique en partie la grande force de cette deuxième mobilisation pétitionnaire, et légitimera pour certains le caractère rhétorique de l'opposition entre les deux mouvements. Les conflits autour du Contrat d'union sociale (CUS) confirmeront de manière éclatante ce qui est apparu avec force en décembre : le poids des dispositions religieuses qui, en particulier sur les sujets d'éthique économique et sociale, sont sans doute l'un des principes de division les plus structurants et pourtant les moins visibles des prises de position des intellectuels. La crise a bien fonctionné, de ce point de vue, comme un révélateur.

QUE LUI EST-IL DONC ARRIVÉ ? [20]

Issu d'une famille ouvrière bretonne catholique, Guy Coq est arraché à cette origine par l'école communale et un « maître vénéré » athée (p. 169), qui lui permet d'échapper à la condition ouvrière. Il entre à l'école normale d'instituteurs, enseigne en collège, puis suit des études supérieures de philosophie, dans la douleur de la séparation d'avec le monde populaire. « Et cet enfant que j'évoque, ce jeune homme sage, habitait avec malaise la culture savante, littéraire et abstraite qui devint pourtant son lot » (p. 41). Engagé contre la guerre d'Algérie dès son passage au « séminaire laïc », il milite alors au sein des « équipes chrétiennes », proches de la JEC. A l'Université, grâce à l'appui de cette organisation, il dirige ensuite l'UNEF locale, puis est élu au bureau national où il siègera pendant deux ans, au tournant des années 1960.

Il est à partir de 1966 professeur de philosophie, d'abord dans un lycée de province puis « aux abords du Quartier latin (…), au voisinage de la Sorbonne » (p. 43). Survient alors Mai 68, une « illumination » (p. 43), un « ébranlement », une « perspective enivrante » (p. 44) : son univers mental bascule du jour au lendemain. « Mai 68 tue en moi le prof. J'adhère au mouvement. J'écoute les lycéens. Je vis avec eux l'utopie », écrira-t-il plus tard (p. 46). Après Mai, comme d'autres professeurs de philosophie, il se réfère à Marx, Nietzsche et Freud –

« ils furent notre viatique » (p. 52) –, s'ouvre au
bouillonnement d'une philosophie désormais imprégnée
de sciences humaines. Mais déjà apparaît le vide des
sciences de l'homme : « loin d'assurer notre survie dans
l'institution, la conscience exacerbée d'une école-machine
à reproduire la société contribuait à détruire tout
investissement personnel dans notre travail » (p. 52).
Entre 1969 et 1975, il vibre néanmoins à chaque nouvelle
grève lycéenne et, se reconnaissant dans le socialisme
autogestionnaire, milite à la CFDT où on l'accuse
de faire de son lycée une « base rouge ».

Mais quelque chose résiste en lui à ce qu'il décrit
comme le triomphe de l'esprit de système, de la
théorisation, du dogmatisme. La psychanalyse contribue à
lui faire retrouver une confiance en soi perdue dans l'auto-
négation. L'effondrement du gauchisme est rapidement
suivi de la remise en cause brutale du marxisme, et de la
critique du totalitarisme à la fin des années 1970. Nouvelle
« illumination » : la lecture d'*Un homme en trop* de Claude
Lefort, qui le convainc que la société n'a pas de grand
« Autre ». Puis se produit l'événement inexplicable, préparé
par la lecture des « pages incandescentes » de Maurice
Clavel (p. 79) et des ouvrages de Maurice Bellet (p. 83) : il
retrouve les gestes de la foi, vit son « grand retournement ».
Il avait fini par l'oublier et elle était toujours présente : son
récit mystique est celui des retrouvailles avec l'enfant « qui
tresse un lasso pour attraper les nuages. Je rejoignis cet
instant, un soir où je connus la rencontre inouïe de la
prière et du silence » (p. 100-101). « Et combien fut
imprévu aussi le moment où put être refait, sur le front, le
symbole de la croix ? » (p. 105). Il reconnaît désormais que
« le désir de Dieu exprime ce qu'il y a de plus élevé en
nous » (p. 179).

Lecteur d'*Esprit* depuis l'école normale d'instituteurs, il
avait répondu dans les années 1970 à une enquête lancée
par Paul Thibaud. Sa réponse est publiée dans le numéro
d'avril 1977 sur les « militants d'origine chrétienne »

(p. 59). Le récit de sa « re-conversion » y paraîtra en avril 1986. Devenu collaborateur régulier de la revue, Guy Coq s'y spécialise notamment dans les questions éducatives, pourfendant l'« idéologie de la reproduction » (*Laïcité et République* est publié aux éditions Le Félin en 1995), analysant sous l'angle du christianisme les problèmes de la famille et du mariage, ou encore popularisant la philosophie de Jean-Paul II. Il signe en décembre 1995 l'appel de soutien à Nicole Notat. Le 1er juillet 1997, tout empreint de moralisme, il intervient dans *Libération* comme « sociologue » au cœur du débat sur le « contrat d'union sociale », qu'il décrit comme « atteinte grave au sens même du mariage », « nouvelle étape dans la démolition par l'État du mariage civil ».

Décembre 1995 a porté en quelque sorte au jour la matrice des choix en face des diverses alternatives proposées aujourd'hui aux intellectuels en France et dans le monde : émancipation des femmes ou retour à l'ordre traditionnel, accroissement des droits civiques et sociaux ou restriction culpabilisatrice et xénophobie, développement des services publics et de la Sécurité sociale ou austérité généralisée, développement économique soutenable ou capitalisme destructeur. Si les lignes de partage ne sont ni strictement identiques, ni tout à fait stables selon les secteurs, elles révèlent néanmoins des convergences et exigent désormais des stratégies cohérentes. Face à la révolution conservatrice, le choix est bien entre une participation plus ou moins délibérée et cynique à cette « révolution » et une résistance, nécessairement vigilante et critique.

8

Coda

L'image que les médias ont donnée en décembre 1995 du monde intellectuel français n'est pas simplement « fausse » au sens où une proposition scientifique peut l'être. Elle est réductrice parce qu'elle projette un espace multidimensionnel sur un axe politique unique, défini au plus près des catégories journalistiques ordinaires, refoulant ainsi ce qui fait la spécificité des produits intellectuels et scientifiques, les œuvres, et leur évaluation autonome, bref tout ce qui détermine et légitime l'intervention des intellectuels dans la vie publique. Elle est fausse ensuite, parce qu'elle laisse dans l'ombre une dimension aujourd'hui déterminante de l'action intellectuelle, à savoir la présence des médias et des journalistes qui participent à la production du sens de cette action et la prime qu'ils accordent aux intellectuels les moins autonomes, les plus proches des pouvoirs, à travers notamment l'hégémonie d'un petit groupe d'intellectuels médiatiques. Elle n'est ni vraie ni fausse lorsqu'elle oppose deux « camps » en se fondant sur l'évidence de deux pétitions distinctes et en partie opposées. Il s'agit, on l'a montré, non de camps au sens politico-stratégique, mais de la forme cristallisée que prend, dans la conjoncture de décembre, l'opposition entre deux définitions des intellectuels, l'une plus proche des pouvoirs économiques, politiques, bureaucratiques et médiatiques, l'autre, plus autonome, tiraillée entre légitimité scientifique et légitimité militante.

De plus, chacun de ces pôles constitue lui-même un sous-espace différencié. Le thème médiatique du « réveil des intellectuels » et de leur séparation en deux « camps » (celui des « experts » et celui des « nouveaux compagnons de route ») dont l'affrontement est fondé sur des principes d'opposition « politiques » a ainsi pour premier effet d'attribuer le titre d'intellectuel à tous ceux qui entrent dans le jeu des pétitions, masquant la diversité des positions qu'ils occupent dans le champ de production culturelle, des ressources dont ils disposent, et de l'usage qu'ils en font, savants et savants engagés, demi-savants médiatiques, réformateurs-experts, etc. Ce faisant, il dissimule une lutte pour la définition de l'intellectuel qui a pour enjeu de déterminer qui peut légitimement être qualifié d' »intellectuel » ou s'autodésigner comme tel. Mais cette vision dualiste n'est pas totalement dépourvue de réalité, du fait que, partagée et diffusée par les journalistes, détenteurs d'un quasi monopole de la diffusion, elle produit des effets sociaux indiscutables. L'officialisation « politique » des prises de position en situation de crise, introduit une contrainte supplémentaire de « cohérence » entre les discours et les actes, entres les discours tenus habituellement en des lieux et des temps séparés et une forme d'injonction à être situé et à se situer (« politiquement »).

De ces constats, on peut tirer plusieurs enseignements. D'abord que la sociologie des intellectuels (avec toutes les techniques d'observation et de rupture qu'elle met en œuvre) peut donner une efficacité nouvelle à l'action intellectuelle. Elle permet en effet d'échapper à l'enfermement rhétorique des luttes d'étiquetage et, en donnant aux intellectuels une meilleure conscience de ce qu'ils sont et de ce qu'ils font, d'accroître en fait leur liberté d'action réelle, même si c'est au prix d'une perte de liberté imaginaire et narcissique. D'autre part, le constat de l'emprise accrue du monde médiatique sur le champ intellectuel ne doit pas déboucher sur un sentiment d'impuissance : la connaissance des mécanismes par lesquels passe cette emprise et celle des limites que l'intrusion des médias peut rencontrer (avec, par exemple, l'efficacité réelle d'un capital symbolique fondé dans et par l'autonomie scientifique et intellectuelle) devrait inciter à l'élaboration collective de stratégies rationnelles qui prennent acte du pouvoir de consécration et de déformation des médias à la fois pour le combattre et s'appuyer sur lui. De ce point de vue, les intellectuels ont encore beaucoup à faire pour se constituer comme une force autonome collective.

Les interventions très visibles des animateurs et des proches de la revue *Esprit* et, surtout, des membres de la Fondation Saint-Simon, s'inscrivent – de façon bien sûr variable et complexe – dans un long *trend* historique. Elles participent, à leur échelle mais non sans efficacité, du mouvement plus large de restauration conservatrice dont l'« avant-garde » est américaine, et qui a affecté le champ intellectuel et le champ politique, en France et dans le monde, depuis la fin des années 1960. A la différence des *think tanks* néo-conservateurs américains, ces groupes se pensent parfois en toute bonne conscience comme « de gauche » et sont d'autant plus redoutables que leur association à des organes traditionnellement pensés comme de gauche (*Esprit, Le Nouvel Observateur* notamment) contribue souvent à les faire percevoir comme tels : c'est ainsi qu'ils travaillent depuis plusieurs années à faire du néo-libéralisme (au nom de la « science économique ») et du conservatisme moral (au nom de la nécessité de « recréer du sens dans des sociétés individualistes ») la nouvelle philosophie de l'engagement des intellectuels, détournant le prestige associé à ce groupe depuis l'affaire Dreyfus. Leur stratégie passe par la subversion plus ou moins implicite des catégories politiques jusque là en vigueur, renvoyées à l'archaïsme, dépassées (conservateur/progressiste, gauche/droite, etc.). Facteur déterminant de ce processus, les reconversions d'intellectuels issus d'organisations de gauche (anciens membres du PCF, puis, dans la génération suivante, anciens gauchistes, anciens syndicalistes, souvent cooptés par les premiers) vers le monde du pouvoir économique, politique, administratif, ont rencontré les intérêts de diverses forces conservatrices, mais aussi du Parti socialiste et de la CFDT qu'ils ont contribué à « recentrer » : le sommet de l'audace progressiste est atteint lorsque des hommes de gauche sont capables de tenir des discours de droite, assimilant Marx et Pol Pot, le socialisme et le soviétisme (ou « totalitarisme »), la défense des acquis sociaux et l'attachement conservateur aux privilèges.

Ce mouvement de restauration a pris en France une force inédite, parce qu'il s'est appuyé sur une arme puissante : les instruments de diffusion de la pensée et d'information, en premier lieu la presse et la télévision. C'est à travers eux que des « intellectuels » reconvertis ont pu faire de leurs reniements la forme ultime du dépassement révolutionnaire popularisé par Mai 68. Parmi les acteurs de décembre, ces « intellectuels » ont vu dans les prises de position de Nicole Notat le *nec plus ultra* de la subversion des « tabous », comme, par exemple l'ouverture du capital des entreprises publiques au capital financier privé. Ils ont, pour une partie d'entre eux, fait, depuis les années 1960, une longue marche qui les a conduit de l'autogestion ouvrière (nombre de signataires de l'appel de soutien à Nicole Notat ont été des promoteurs de la démocratie sociale) à la direction d'entreprises (« citoyennes »), aux cabinets ministériels (« de gauche ») et aux commissions gouvernementales (« réformatrices ») ; ou encore du soutien à *Solidarnosc,* conçu au moins explicitement comme l'illustration de ce que peut être un mouvement ouvrier démocratique, à l'affirmation péremptoire de la fin des classes sociales, du monde ouvrier, du travail salarié, voire finalement à la remise en cause d'un État social devenu trop lourd et des « rigidités excessives » du marché du travail. Entre temps, certains avaient vu dans la guerre du Golfe l'occasion de soutenir une nouvelle rupture des « tabous » de la gauche, l'engagement de ses dirigeants derrière le « gendarme de la planète », et, dans plusieurs autres « grandes causes internationales », le moyen de réaffirmer une posture avant tout morale : qu'ils interviennent sur la Yougoslavie, la Palestine ou le Rwanda, les « intellectuels » médiatiquement dominants ne font que rarement le lien entre les crises « nationales » (imputées à l'irrationalisme, au nationalisme, à l'intégrisme ou à l'extrémisme communiste ou fasciste) et la restauration néo-libérale promue à travers le monde par les grandes organisations internationales et par les firmes multinationales. Et pour cause : *acteurs* de cette restauration à travers leurs chroniques, leurs éditoriaux, leurs interviews, leurs livres, ils entendent bien garder sans risques le monopole de l'indignation et donner à la droite la gauche dont elle a toujours rêvé.

NOTES

1. Voir en particulier C. Charle, *Naissance des intellectuels*, Paris, Minuit, 1990.

2. Parmi les auteurs de ce dossier, François Dubet et Didier Lapeyronnie (professeurs de sociologie, membres du CADIS, laboratoire fondé par Alain Touraine et dirigé par Michel Wieviorka) se séparent, le premier soutenant un mouvement que le second juge plutôt négativement.

3. Alain Touraine, Jacques Julliard et Pierre Rosanvallon (cf. *infra*) sont directeurs d'études à l'École des hautes études en sciences sociales respectivement depuis 1960, 1978 et 1988. A. Touraine, qui a longtemps dirigé le Laboratoire de sociologie industrielle et le Centre d'étude des mouvements sociaux, et qui fut l'un des fondateurs de la revue *Sociologie du travail* (1959), a été l'un des conseillers d'Edmond Maire. J. Julliard a quant à lui été membre du bureau national de l'UNEF, du SGEN (1962-76) et de la CFDT (1973-76), membre du comité de rédaction de la revue *Esprit* (jusqu'en 1984), directeur de la revue rocardienne *Interventions* (1982-86). Il est actuellement directeur adjoint du *Nouvel Observateur* et membre de la Fondation Saint-Simon.

4. Que l'on désignera désormais comme pétition *Réforme* afin de faciliter la lecture.

5. Que l'on désignera désormais comme pétition *Grève*.

6. Plusieurs religieux, jésuites (Henri Bussery, Jean-Yves Calvez, Henri Madelin, Christian Mellon…) et dominicain (Hugues Puel) ont signé la pétition *Réforme*.

7. C'est nous qui soulignons.

8. Inspecteur des finances (1977), Alain Minc a exercé des fonctions de direction dans plusieurs grandes entreprises depuis 1982, avec des succès inégaux. Il dirige actuelle-

ment sa propre société de conseil et préside la société des lecteurs du *Monde* (depuis 1985).

9. Revue fondée par Raymond Aron en 1978, et qui a contribué à l'*aggiornamento* de la pensée libérale en France en élargissant le cercle des « libéraux » puisque Pierre Rosanvallon lui-même y participe dès sa création.

10. C'est nous qui soulignons.

11. Cf. Nicolas Caron, *L'itinéraire d'un sociologue engagé : Pierre Bourdieu*, Mémoire pour le DEA de science politique, Université Panthéon Assas-Paris II, 1996.

12. Aboutissant à *Travail et travailleurs en Algérie.* Sur cette période, cf. le témoignage d'Abdelmalek Sayad, in Hassan Arfaoui, « Entretien avec Abdelmalek Sayad », *Mars*, n° 6, printemps-été 1996, p. 7-56.

13. Cf. Didier Éribon, *Michel Foucault.* Paris, Flammarion, 1989.

14. Cf. Gérard Mauger, « L'engagement sociologique », *Critique*, n° 579-580, août-septembre 1995, p. 674-696.

15. Cf. P. Champagne, *Faire l'opinion. Le nouveau jeu politique*, Paris, Minuit, 1991.

16. Interview de E. Plenel par Jean Malifaud, « *Le Monde* des journalistes », Bulletin de l'Institut de recherche de la FSU, *Nouveaux regards. Éducation. Recherche. Culture.* n° 2-3, novembre 1996, p. 71-72.

17. Les analyses qui suivent s'appuient sur une analyse des correspondances multiples qui fera bientôt l'objet d'une publication détaillée.

18. P. Bourdieu, *Homo academicus*, Paris, Minuit, 1984.

19. Itinéraires intellectuels des années 1970 : Pierre Rosanvallon-Rony Brauman-Alain Touraine, *Revue Française d'Histoire des Idées Politiques*, n° 2, 1995. Ceci même si nombre des analyses qu'il a pu livrer, sur la CFDT par exemple, dans des revues comme *Esprit* fonctionnent aussi comme des témoignages qui ne disent pas leur nom,

jouant et de la proximité (de la CFDT , de la revue) et de la distance affichée (par la semi-objectivation produite en proposant une interprétation de l'histoire de la CFDT).

20. Cf. G. Coq, *Que m'est-il donc arrivé ? Un trajet vers la foi*, Paris, Esprit/Seuil, 1993

Répertoire des sigles

AC ! : Agir contre le chômage

AIDES : Association de lutte contre le Sida

AFP : Agence France presse

ARESER : Association de réflexion sur les enseignements supérieurs et la recherche

CAP : Convention pour une alternative progressiste

CISIA : Comité international de soutien aux intellectuels algériens

CFDT : Confédération française démocratique du travail

CGT : Confédération générale du travail

CNPF : Confédération nationale du patronat français

CNRS : Centre national de la recherche scientifique

CSEC : Centre de sociologie de l'éducation et de la culture

CSG : Contribution sociale généralisée

CSU : Cultures et sociétés urbaines (ex Centre de sociologie urbaine)

DAL : Droit au logement

EDF : Électricité de France

EHESS : École des hautes études en sciences sociales

ENA : École nationale d'administration

ENS : École normale supérieure

FMI : Fond monétaire international

FO : Force ouvrière

FSU : Fédération syndicale unitaire

GEDISST : Groupe d'étude de la division sociale et sexuelle du travail

HEC : Hautes études commerciales (École des)

IEP : Institut d'études politiques

INED : Institut national d'études démographiques

INSEE : Institut national de la statistique et des études économiques

IRM : Institut de recherche marxiste (devenu Espace Marx)

JEC : Jeunesse étudiante chrétienne

LCI : La chaîne de l'information

LCR : Ligue communiste révolutionnaire

LERSCO : Laboratoire d'études et de recherches sur la classe ouvrière (Nantes)

MDC : Mouvement des citoyens

OFCE : Observatoire français des conjonctures économiques

PC, PCF : Parti communiste français

PS : Parti socialiste

PSU : Parti socialiste unifié

RESSY : Recherche et études sur le syndicalisme

RPR : Rassemblement pour la république

SGEN : Syndicat général de l'éducation nationale

SNCF : Société nationale des chemins de fer français

SNES : Syndicat national de l'enseignement secondaire

SNESup : Syndicat national de l'enseignement supérieur

SPRAT : Société pour la résistance à l'air du temps

SUD : Solidaire, unitaire, démocratique

UGE : Unef Grandes Écoles

UNEF : Union nationale des étudiants de France

UNIOPSS : Union nationale interfédérale des œuvres et organismes privés sanitaires et sociaux

X : École polytechnique

TABLE DES MATIÈRES